DEJA PRESQUE LA FIN

DU MEME AUTEUR

dans la même collection :

Les conquérants de l'univers.
(traduit en italien).
A l'assaut du ciel
(traduit en italien).
Retour du météore
(traduit en italien).
Planète vagabonde
(traduit en italien).
Croisière dans le temps.
Sauvetage sidéral.
S.O.S. Terre.
Vingt pas dans l'inconnu
(traduit en italien).
Feu dans le ciel.
Objectif Soleil.
Altitude moins X.
Route du néant.
Cité de l'esprit.
Création cosmique.
Planète de mort
(traduit en italien).
La deuxième Terre.
Via dimension « 5 ».
Fléau de l'univers
(traduit en portugais).
Carrefour du temps
(traduit en portugais).
Relais Minos III.
Bang !
(traduit en portugais).
Zone spatiale interdite.
Panique dans le vide.
Le troisième astronef.
La planète géante.
N'accusez pas le ciel.
Les pionniers du cosmos.
Terre degré « 0 ».
Générations perdues.
Les pantins d'outre-ciel
(traduit en italien).
Escale chez les vivants (traduit en portugais et en espagnol).
Les lunes de Jupiter (traduit en portugais et en espagnol).
Plus égale moins
(traduit en italien).
Destination moins J.-C.
(traduit en italien).
Légion alpha (traduit en italien et en espagnol).
Les mutants sonnent le glas.
La guerre des dieux.
Les poumons de Ganymède.
Les derniers jours de Sol 3
(traduit en allemand).
Les 7 anneaux de Rhéa.
Micro-invasion
(traduit en italien).
La mort vient des étoiles.
Visa pour Antarès.
Les jardins de l'Apocalypse.
Planète à vendre.
Pas de gonia pour les Gharkhandes.
Alerte en galaxie.
Un futur pour M. Smith.
Tout commencera... hier.
Des hommes, des hommes... et encore des hommes.
La machine venue d'ailleurs.
Cauchemar dans l'invisible.
Les marteaux de Vulcain.

Le chemin des étoiles.
Les maîtres du silence.
Je m'appelle... tous.
Les mages de Dereb
(traduit en espagnol).
Agent spatial n° 1.
(traduit en espagnol).
Cerveaux sous contrôle.
(traduit en espagnol).
Inversia.
Cette lueur qui venait des ténèbres.
L'enfer dans le ciel.
Chaos sur la genèse.
Ne touchez pas aux Borloks.
Ceux de demain.
Réaction déluge.
On a hurlé dans le ciel.
On demande un cobaye.
Les prisonniers de Kazor.
Quatre « diables » au paradis.
Concerto pour l'inconnu (Opus 71).
La loi d'Algor.
Variations sur une machine.
Le vaisseau de l'ailleurs.
Energie — 500.
Quand les soleils s'éteignent
1 973... et la suite.
Les seigneurs de la nuit.
(Grand Prix International de Science Fiction 1973).
Les sources de l'infini.
Quand la machine s'emmêle.
Les portes du futur.
Et la nuit fut.

RICHARD-BESSIERE

DEJA PRESQUE LA FIN

ROMAN

COLLECTION « ANTICIPATION »

EDITIONS FLEUVE NOIR
69, boulevard Saint-Marcel - PARIS-XIIIe

ISBN 2-265-00277-1

CHAPITRE PREMIER

Une lumière sale filtrait à travers un ciel gris. Perpétuellement gris. Et la ville elle-même était noyée dans une grisaille infinie laissant parfois apparaître les sommets arrondis de ses dômes d'observation lorsque le vent, plus violent que d'habitude, s'acharnait à disperser les nuées floconneuses qui stagnaient entre les hauts édifices.

Au printemps, toutefois (mais quelle valeur pouvait-on attacher à ce mot ?), les nuées se diluaient à l'approche de midi, permettant ainsi au soleil de faire quelques brèves apparitions, et cela durait jusqu'à ce que les pluies d'août viennent à nouveau transformer la ville en un véritable bourbier.

Les nuages revenaient, le soleil se refondait

dans la grisaille et c'était ainsi pendant de longs mois encore.

Rubi comptait les jours. Le printemps approchait. Bientôt le soleil réapparaîtrait et ce serait la Fête... la Fête de la Lumière et de la Renaissance. Il y aurait des danses, des mascarades, des jeux, des buvettes gratuites installées à tous les carrefours aux frais du gouvernement.

On pourrait vivre et mourir en toute liberté et, pendant plus d'un mois, la police n'aurait aucun droit d'intervenir dans les affaires publiques, personnelles ou autres.

On pourrait même détruire et casser tout ce qu'on voudrait. Bien sûr, à condition de rester dans la « légalité », les édifices publics et les établissements gouvernementaux considérés comme tabous étant « légalement » protégés de la violence humaine.

Et ceux qui enfreignaient la Loi, s'ils étaient pris, étaient abattus sans pitié. D'ailleurs, Rubi se souvenait d'un de ses amis, un jeune garçon de vingt ans, comme lui, qui avait, un soir de carnaval et sous l'emprise d'une trop forte dose de L.S.D., mis le feu au Recensement des décès, un grand immeuble du centre de la ville.

Ce gars-là avait appris que sa vieille, celle qui l'avait enfanté, travaillait là, dans un de ces bureaux. Sa vieille, pour lui, c'était comme une obsession, depuis qu'il avait quitté le Centre Nourricier, et sa haine n'avait fait que croître dès l'instant où il avait su que sa putain de vie, il la devait à une femelle de son espèce... Et tout ça parce que cette femelle avait fait l'amour avec un mâle qu'on disait son père.

Qu'ils aient couché ensemble, il n'en avait rien à faire, mais qu'il soit le fruit de cette union, ça le révoltait.

Oui, pourquoi, grands Dieux ? Est-ce qu'il avait demandé quelque chose, lui ?

Alors, un beau jour, il avait mis le feu, quand la question avait débordé sa cervelle. Il avait mis le feu rien que pour voir flamber sa vieille dans le brasier.

Mais s'il n'y avait eu qu'elle !... Il y avait eu d'autres victimes, bien sûr, mais le plus affolant, c'étaient les papiers, toute la paperasserie entassée dans les Archives Municipales, qui avaient brûlé en même temps. Un magnifique feu de la saint Jean, oui !

« Magnifique » en ce sens que cela avait provoqué une véritable pagaille dans les services du recensement des décès... Comment, en effet, savoir qui était mort et qui ne l'était pas ? Et qui était mort à telle date, et comment et pourquoi ?

Rubi eut un sourire à cette pensée... et le sourire persista sur ses lèvres lorsqu'il se remémora le jeune garçon, étendu au milieu de la rue, le corps criblé de balles. C'était un drôle, ce gars-là, et drôle, il l'avait été jusqu'au bout, en abattant quatre flics avec sa pétoire à roulette.

— Hé, Rubi, avait-il lancé avant de mourir, ça en fait treize sur ma liste... Ce chiffre-là, ça porte bonheur, tu vois !

Et puis, une voiture était arrivée et on avait emporté le corps vers le Centre de Récupération. Immédiatement et sans délai !

Rubi haussa les épaules et chassa cette pensée. C'était l'heure d'aller retrouver les copains.

Il s'habilla et, au moment de sortir de chez lui, se ravisa. Il revint dans la pièce et rafla l'automatique à canons jumelés qui traînait sur le lit et le glissa à sa ceinture. C'était plus prudent. Un oubli de cette sorte pouvait lui coûter la vie et il ne l'ignorait pas.

Il sortit, enfourcha son électricmoto et fila vers les faubourgs nord de la ville, pestant contre les autres conducteurs qui, par moments, le frôlaient d'un peu trop près. L'un d'eux faillit même le faire déraper à la sortie d'un virage et le rouge de la colère, subitement, enflamma son visage.

— Le sale con ! grogna-t-il en donnant les gaz.

Il tenta vainement de rattraper le « chauffard » qui avait disparu dans la cohue des véhicules et ravala sa colère. Oui, ce petit salaud aurait bien mérité qu'il l'envoyât dans le décor, une chose que Rubi aurait faite sans le moindre remords... Mais au fait, le remords, qu'est-ce que ça pouvait bien être ?

— Où allez-vous comme ça ?

A l'entrée du stade, un homme était là, avec sa casquette à visière et sa vareuse à boutons d'or. Il attendait une carte, un laissez-passer ; sa main se tendit vers Rubi, mais Rubi la repoussa. La colère qu'il n'avait pu assouvir, un instant plus tôt, revenait à la charge et c'est d'une voix hargneuse qu'il riposta :

— Il y a une réunion sur la piste B, j'appartiens à l'une des équipes.

— Vous devez avoir votre carte.

— Merde !

Rubi écarta le gardien d'un geste brusque et l'homme alla cogner durement contre un mur. Un pauvre type d'une cinquantaine d'années, petit et malingre, pas du tout taillé pour se mesurer avec le jeune garçon. Aussi préféra-t-il ne pas insister.

Il devait appartenir à cette catégorie d'individus qui, une fois le travail terminé, rentrent chez eux et n'en ressortent plus jusqu'au lendemain matin. Le genre de gars qu'on ne voit jamais traîner dans les rues, après 20 heures, et qui se barricade la nuit comme à l'intérieur d'un blockhaus.

Il y avait en effet des gens comme ça, qui passaient leur vie à trembler, jusqu'à ce qu'une balle perdue (ou peut-être pas tellement... perdue) vienne mettre un terme à leur cauchemar.

Un jour ou l'autre, ils finissaient toujours par se trouver au centre d'une bagarre. C'était dans la loi des probabilités.

Et puis il y avait les autres. A peu près le même genre, sauf que ceux-là tiraillaient en douce, quand l'occasion se présentait, et l'occasion, c'était le jeune à cheveux longs dont la silhouette se profilait dans l'éclairage d'un réverbère.

Planqués derrière leurs fenêtres, ces salauds-là faisaient un carton ! De temps en temps, comme ça, et ni vu ni connu ! Pour se venger, disait-on. Mais se venger de quoi ? Et de qui ?

Rubi eut envie de frapper le gardien, sa main se leva, mais de violentes exclamations, soudain, lui parvinrent de la piste B.

Ça chauffait dur dans le coin, et l'esprit du jeune garçon réagit à cette nouvelle impulsion, comme un petit animal subitement détourné de son action présente.

Il oublia le gardien, poursuivit sa route et, en quelques rapides enjambées, atteignit la piste **B.**

C'était un petit enclos servant à la fois de terrain de basket et de lice pour les duels au sabre ou au bâton. Les jeunes y venaient de temps à autre pour parfaire leur entraînement et les compétitions dominicales, commercialement organisées par quelques books des environs, attiraient toujours la grande foule.

De nouveaux cris fusèrent des gradins lorsque Rubi fit son entrée. Ils étaient une cinquantaine de garçons et de filles, divisés en deux groupes, de part et d'autre de la lice, insultant, encourageant, invectivant et glorifiant l'un et l'autre des deux adversaires qui s'affrontaient au sabre à quelques mètres de là.

Les lames se choquaient, se croisaient, s'entrecroisaient, traçaient des sillons d'argent dans l'atmosphère lourde.

Rubi rejoignit son groupe et se glissa à côté de Bella, une grande blonde au tricot délavé et imprégné de sueur. C'était manifestement la plus excitée de tous.

— Vas-y, Fredo ! hurlait-elle de sa voix éraillée. Crève-le, je te dis... Crève-le, bon sang !

— Eh, qu'est-ce qui se passe ? demanda Rubi avec un froncement de sourcils. C'est du bidon ou quoi ?

— Tu rigoles, non ? Tu vois pas qu'ils sont en train de s'étriper ?

Et elle se remit à gueuler tandis que Pistache, un petit gros en maillot rayé qui se trouvait affalé derrière Rubi, se penchait en reniflant comme un phoque.

— C'est pas Fredo qui l'a voulu, expliqua-t-il, c'est l'autre. Tistou, qu'il s'appelle. Ils ont commencé gentiment, comme c'était prévu, rien que pour l'exercice, et puis Tistou a provoqué Fredo. « Un combat à la loyale », qu'il a dit. Mais moi, je sais qu'il peut pas le blairer, Fredo. Alors, maintenant, on va voir.

— Fredo manque d'entraînement, avança Rubi. Il va se faire tuer.

— Et alors ?

— Il est quand même des nôtres. Pourquoi ne pas l'avoir empêché ?

— On a essayé, il n'a rien voulu savoir.

Rubi se tut, le regard enflammé.

Parades... ripostes... attaques-éclair... le combat continue dans la fièvre et l'excitation générale. Un instant, les deux adversaires tournent face à face, la lame haute, chacun épiant les réactions de l'autre.

Puis, brusquement, Tistou attaque d'un coup de lame à l'horizontale. Fredo évite d'un bond sur le côté, ce qui dénote chez lui des réflexes extraordinaires. Il pare et contre-attaque avec un cri sauvage et son pied part comme l'éclair.

Atteint au ventre, Tistou recule, trébuche et tombe à la renverse, tandis que Fredo revient sur lui d'un bond souple et rapide. Hé... hé, pas mal du tout pour un débutant, et déjà Rubi et ses copains se sont levés d'un même mouvement.

— Vas-y..., hurle Bella, les mains en porte-voix. Crève-le... crève-le...

Dégagement... recul... affrontement...

Cette fois, la lame de Tistou a taillé l'épaule de Fredo... Un long sillon rougeâtre... le sang coule... Un éclair de rage et de douleur le projette en avant, frappant à coups redoublés.

L'autre recule, brisant chacune de ses attaques et cherchant l'ouverture. Mais Fredo ne lui laisse pas le temps de se ressaisir. Il frappe un grand coup, en arc de cercle. A l'horizontale !

Tranchée net, la tête de Tistou a sauté et s'en va rouler au sol comme une boule de pétanque, alors qu'un flot de sang jaillit du cou à la manière d'un geyser.

Un bref instant encore, le corps reste debout. Un corps sans tête et figé dans ses mouvements... Puis, tout à coup, les jambes s'amolissent et il s'écroule d'une masse, agité d'un grand frisson.

Immédiatement, des clameurs retentirent, le groupe auquel appartenait Fredo s'élança des gradins et ce fut la cohue autour du vainqueur.

L'autre groupe, pendant ce temps, se dispersait, abandonnant à deux gardiens rapidement accourus le soin de régler les formalités d'usage... Formalités quelque peu expéditives, mais accomplies toutefois dans la légalité, si bien que Fredo et les autres étaient à peine dehors qu'une longue voiture arrivait pour embarquer le corps de Tistou.

Les Services de Récupération ne chômaient pas. Tout était très rapide avec eux... Comme des hyènes à l'affût

En l'espace de quelques minutes, tout fut réglé, et pratiquement oublié.

Cela n'avait été qu'un épisode de plus dans la vie de chacun, sauf, bien sûr, qu'il y avait la blessure de Fredo. La blessure à l'épaule.

— C'est rien, va, lui envoya Bella en nouant un mouchoir autour de la plaie. T'en as vu d'autres. Pas vrai, Fredo ?

— Je me demande ce qui lui a pris, à cet idiot, souffla Fredo. J'avais rien contre lui, moi, je vous assure.

— Allons, viens, coupa Pistache, on va fêter ça, hein ? Je propose une virée chez Thilda, qu'est-ce que vous en pensez ?

— C'est une très bonne idée, approuva Rubi.

Ils se retrouvèrent cinq ou six dans la voiture de Fredo, et Rubi embarqua Bella avec lui, sur l'électricmoto.

Chez Thilda, l'alcool effaça les derniers souvenirs et tout le monde avait déjà son compte lorsque Fredo proposa néanmoins une virée chez le gros Mat.

Ils rembarquèrent mais n'allèrent pas au-delà du premier virage. Un grand virage en U qui bordait la rivière. C'était Pistache qui conduisait et Pistache avait mal négocié le virage. Il s'était déporté sur la gauche à l'instant même où un autre véhicule apparaissait dans la courbe.

Il tenta de redresser, mais ne put éviter le choc. Il perdit le contrôle de la voiture, laquelle dérapa et fit deux tours sur elle-même avant d'aller se fracasser sur un pylône électrique.

Rubi, qui suivait, réussit de justesse à éviter le choc, mais dérapa sur un coup de frein trop brutal et, avec Bella, se sentit projeté dans les airs. Il retomba lourdement et un instant perdit connaissance.

Quand il revint à lui, il vit que ses compagnons étaient tous réunis autour de Bella. C'était la seule victime sérieuse de l'accident, et elle gisait inanimée sur le bas-côté de l'avenue.

Mais il y avait une autre personne auprès d'elle, quelqu'un qui faisait un garrot à son avant-bras gauche.

— Non, non, disait-il, ne la soulevez pas comme ça... Donnez-moi une couverture. Vous n'en avez pas une dans la voiture ?

C'était un jeune garçon d'une vingtaine d'années. Peut-être vingt-deux ou vingt-trois, mais guère plus. Il était brun, habillé sans recherche, mal rasé et les cheveux en bataille. Mais propre.

— Qui est-ce ? demanda Rubi subitement intrigué.

— C'est le gars de l'autre voiture, répondit Fredo. Je comprends pas, c'est pourtant notre faute... Moi, à sa place, j'aurais fait un drôle de raffût. Et voilà qu'il s'occupe de Bella. Vrai, je comprends pas...

Dans la nuit qui tombait, le visage émacié de Rubi resta de marbre.

CHAPITRE II

La pièce était vaste, avec des murs de grosses pierres apparentes, et un plafond voûté suintant d'humidité.

Une cave. Une cave enfouie sous les ruines de ce qui avait dû être autrefois un grand immeuble à usage commercial.

Sous les décombres, on avait d'ailleurs trouvé une pancarte portant, par ironie du sort, une troublante et curieuse inscription : « *Société générale de démolitions* ». Et cette pancarte avait été conservée, on l'avait placée au-dessus de la porte d'entrée comme pour en accentuer davantage l'insolite ironie.

Le jeune garçon brun acheva de nettoyer la plaie avec les médicaments qu'on lui avait apportés. Il fit un pansement puis abandonna

Bella sur sa couche. Un vieux grabat aussi crasseux que tout le reste.

Bella le regarda à travers la fente de ses paupières et il l'entendit murmurer dans sa demi-inconscience :

— Je veux me laver... Je dois me laver... Il le faut...

C'était curieux, cet impératif besoin de propreté chez cette fille dont les vêtements eux-mêmes étaient d'une saleté repoussante.

— Restez tranquille, conseilla le jeune garçon, rien ne presse.

Puis il se retourna vers les autres.

— Voilà, reprit-il. Laissez-la se reposer, ce n'est rien de grave. Si elle venait à avoir de la fièvre, appelez l'Office de Santé. Mais je ne pense pas.

Il regarda la petite équipe qui se tenait devant lui, muette et impassible, essaya de sourire puis, histoire de faire diversion, indiqua la pièce du geste.

— Je suppose que vous vivez tous ici, n'est-ce pas ?

Fredo eut un léger haussement d'épaules.

— Pas tous, rectifia-t-il. Quelques-uns d'entre nous possèdent des logements en ville. Mais disons que c'est ici notre lieu de réunion.

— Tu es blessé, toi aussi. Veux-tu que...

— T'occupe pas de ça. Qui es-tu ?

— Je m'appelle Eddie. Et mon nom de famille, c'est Marchal.

— Qu'est-ce que ça veut dire, ça, nom de famille ? coupa Rubi en s'avançant. Y a pas de famille, ça n'existe plus, la famille.

— Eh bien, je...

— Il a raison, renchérit une fille qui venait de se joindre au groupe.

C'était Miria, une petite brune dont le tea-shirt rouge sang portait le visage d'un vieil Asiatique. Sur sa poitrine, le nom de Mao Tsé-toung s'étirait d'un sein à l'autre.

— Il a raison, reprit-elle, la famille, c'est de l'histoire ancienne. D'ailleurs, le gouvernement va bientôt supprimer les noms de famille, comme tu dis, et les remplacer par des matricules. Des symboles communautaires, si tu préfères. C'est une idée des communistes, ajouta-t-elle avec fierté.

— Pas seulement des communistes, rectifia une voix. D'autres cellules ont également proposé cette réforme, Miria.

— Oh, toi, le « curé », faut toujours que tu apportes la contradiction.

— Amen... Amen, soupira le jeune garçon qui était perché sur une caisse dans le fond, avec un livre à la main. Les communistes, vous êtes tous les mêmes. Dès qu'on...

— Suffit ! trancha Fredo avec colère. Vous n'allez pas recommencer avec votre politique... ce n'est pas le moment. Ce que je veux savoir, moi, c'est d'où il vient, ce gars.

Il refit face à Eddie, le visage pincé.

— T'es pas d'ici, je suis sûr que t'es pas d'ici. Qu'est-ce que tu es ? Toubib ?

— Non, non, mais mon père l'était.

— Ton père ?

— Soit, soupira Eddie, puisque vous insistez, je vais tout vous dire.

Il y eut un bruit derrière lui. Il se retourna. Bella s'était levée, ouvrait une porte dans le fond de la pièce.

— T'occupe pas, laisse-la faire, envoya Fredo, agacé. Parle !

— Je ne suis dans cette ville que depuis huit jours à peine, avoua Eddie. J'arrive du secteur 12.

— Secteur 12 ? Mais... c'est le camp des Reclus, ça !

— Reclus ou Dégénérés. Je suis le fils du docteur Marchal. Mon père a été envoyé comme administrateur dans le secteur 12, et je suis né là-bas. Ma mère est morte et mon père m'a élevé, parce qu'il en avait le droit, parce qu'il n'était plus autorisé à revenir dans sa ville, du moins tant qu'il resterait en fonction. Eh oui, je suis un cas, je le sais, mais je n'y puis rien.

— Ouais... ouais... je vois, mais maintenant, qu'est-ce que tu fais ici ?

— Mon père vient de mourir. Et puis, j'en avais assez de rester là-bas, je voulais connaître la vie des grandes villes, retrouver mes semblables. Une idée comme ça.

— En somme, c'est comme si tu arrivais de

la planète Mars, pouffa Pistache dans son coin. T'es nouveau, quoi !

— Un peu, oui, mais rassurez-vous, je sais me débrouiller.

— T'as des cartes pour becter ?

— Oui, j'en ai reçu.

— Et la bagnole que t'as, tu l'as piquée ?

Eddie hésita une seconde ou deux, puis :

— Eh bien, oui, mais ce n'est peut-être pas ce que j'ai fait de mieux.

Tous s'esclaffèrent devant l'évidente sincérité du jeune garçon. Miria s'approcha tandis que, tiraillée entre ses deux seins, la tête de l'Asiatique semblait sourire tout à coup.

— Je vois, lança-t-elle, on t'a coucoufiné, hein ? Ton papa le toubib t'a élevé dans du coton, et avec des principes... T'en es bourré, de principes.

— Justement pas.

— Hé, chiale pas. Y a qu'à voir comment tu t'es comporté après l'accident. T'as même pas gueulé, t'as rien dit. Et puis, tu t'es précipité sur Bella comme si ça avait de l'importance, pour toi, qu'elle crève ou non. Et puis tu viens ici et tu joues les toubibs. Hé, faut être sur Terre, non ?

— Et il a même pas un flingue sur lui, ce con-là, ajouta Rubi en le montrant du doigt.

Brusquement, Eddie s'était retourné. Une colère soudaine lui enflammait le regard.

— Eh ben, quoi, articula Rubi, j'ai dit que tu étais un con. Et alors ?

Il achevait à peine ces mots qu'un coup de poing en pleine mâchoire l'envoya au sol, les quatre fers en l'air. Eddie s'élança, prêt à frapper encore, mais Rudi se hâta de lever la main.

— Ça va, arrête, idiot...

Il sourit et se redressa tout en se massant la mâchoire.

— Je voulais simplement savoir ce que tu avais dans le ventre. T'es pas une mauviette, tu cognes dur, rudement dur... T'as raison, faut se faire respecter et c'est bien ce que j'attendais de toi.

Il tapa sur l'épaule d'Eddie.

— Et puis, c'est chouette ce que tu as fait pour Bella. On l'aime bien, Bella, tu sais... T'es un chic type. L'ennui, pour toi, c'est que t'es pas dans le coup et ce que je disais au sujet du flingue, c'est pour ton bien. T'as aucune chance avec tes mains nues. Fais gaffe.

— Il a raison, approuva Fredo, j'espère que tu sais te servir de ça ?

Il lança un pistolet qu'Eddie attrapa au vol.

— Garde-le, tu en auras certainement besoin.

— Je n'ai peut-être pas votre facilité, mais je sais m'en servir, acquiesça Eddie.

— T'as déjà tué quelqu'un ?

— Non, jamais.

Fredo eut un sourire. Il devinait très bien ce

qui se passait dans le crâne de son interlocuteur.

— Ecoute bien, Eddie. Chacun de nous, ici, a déjà son petit palmarès, mais nous ne sommes pas des tueurs. Je veux dire par là qu'on ne tue pas pour le plaisir. On se défend, c'est tout, et on s'en tient à cette règle. Cette ville, c'est comme une jungle, y a des moments où il faut tuer ou être tué. C'est pas nous qu'on a décidé ça, ça existait bien avant qu'on crève la coquille. Tu saisis ? Alors, on continue, parce que ça fait partie de notre putain de vie. Et pourtant, on s'y accroche, à cette putain de vie. C'est drôle, mais c'est comme ça, on s'y accroche.

— Je me souviendrai de vos conseils. Maintenant, il est temps que je file.

— Où vas-tu ?

Comme la question restait sans réponse, Fredo regarda ses compagnons et l'approbation muette de chacun l'incita à poursuivre.

— Pourquoi tu resterais pas avec nous, un jour ou deux ? Y a une place pour toi, ici. Oh, bien sûr, ça ne t'oblige à rien, mais un homme seul dans la ville, c'est pas bon, tu sais... On pourrait toujours faire un essai, qu'est-ce que t'en penses ?

— Eh bien, je...

— Oh, ce qu'il est dur, ce mec ! souffla Miria. Alors, tu restes, oui ?

Ce fut au tour d'Eddie de sourire. D'un coup, la glace était rompue.

— Ça va, dit-il, je tente le coup.

Spontanément, les mains se tendirent et Eddie les serra non sans une certaine émotion. Cette générosité lui allait droit au cœur. Peut-être pas tellement de braves gens, mais certainement pas plus mauvais que lui... ni que tant d'autres... Et dans la ville grise, le pire était encore ce qu'il y avait de pire.

— Tu coucheras dans la pièce à côté, indiqua Fredo, il y a de quoi. Mais, d'abord, on va se taper une bouffe. Allez, Miria, grouille-toi.

Comme Bella revenait et regagnait sa couche, Fredo surprit le regard d'Eddie.

— Fais pas attention, lança-t-il avec un sourire, elle se lave le cul vingt-cinq fois par jour. Elle a le complexe de la flotte !

CHAPITRE III

Miria devait avoir des petits talents de cordon bleu, car c'est elle qui était chargée de préparer les repas et, dans le fond, elle ne s'en tirait pas trop mal avec les conserves empilées dans la réserve.

Le repas rapidement servi, tout le monde apporta son assiette et s'installa autour d'une longue table provenant de quelque ruine des environs. Et les conversations reprirent dans le bruit des mâchoires.

Ce qui intéressait tout le monde, c'était de savoir ce qui se passait réellement dans le secteur 12, une zone interdite où, sur ordre du Gouvernement Central, étaient parqués tous ces déchets de l'humanité, victimes plus ou moins indirectes du Grand Bouleversement.

Des malformations étaient apparues d'une génération à l'autre, menaçant l'humanité dans ses caractères biologiques ; de monstrueuses créatures avaient vu le jour au cours des dernières décennies à tel point que le Gouvernement Central, alarmé par cette épouvantable dégénérescence, avait dû prendre d'urgentes décisions.

Il fallait maintenir l'unité de l'espèce humaine, la préserver de toute relation avec ceux qui portaient en eux les germes de la dégénérescence.

A l'image des sociétés de la Grèce antique, la sélection visait à n'entretenir qu'une humanité saine et forte, celle-ci étant dégagée de la monstrueuse « contagion » des créatures dolichocéphales, synodactyles, mongoliennes et autres.

Aussi, dès leur naissance, tous les enfants étaient soumis à de minutieux examens cliniques afin de déceler les anomalies latentes qui, en dehors des flagrances ouvertement reconnues chez les « bébés monstres », pouvaient un jour brutalement apparaître chez certains individus.

La monstruosité physique était apparue à tous les degrés, cela était devenu, pour les générations d'après le Grand Bouleversement, comme une psychose incontrôlable.

On avait donc commencé par écarter de la société tous ces êtres de cauchemar que l'on avait parqués dans des zones totalement isolées du reste du monde. Des médecins spécialisés avaient été chargés d'étudier les différents types d'anomalies dont la plupart échappaient aux actuelles connaissances de la biologie.

Car de nouvelles mutations se produisaient sans qu'il soit possible de déceler les gènes perturbateurs.

Certes, les études continuaient mais, à l'intérieur de ces camps, l'euthanasie avait aussi son rôle à jouer pour le maintien d'un certain équilibre démographique. Une euthanasie qui était aussi de règle pour les malformés qui, dans les zones libres, naissaient de sujets apparemment sains de corps et d'esprit ; une malignité incontrôlable, une aberration chromosomique latente souvent indécelable qui faisait que certains individus, après la puberté, voyaient apparaître chez eux des monstruosités de type A ou B allant de l'ichtyose au cancer en chou-fleur à irruption quasi spontanée.

Ceux-là étaient immédiatement dirigés vers les camps d'examens et nul ne savait jamais ce qu'ils devenaient. Dans ce monde aux abois, la chasse aux mutants avait pris le pas sur l'antique et ancestrale chasse aux sorcières ! Par symbole, et dans certains cas, l'euthanasie ayant valeur d'autodafé.

— Ce doit être épouvantable, là-bas, émit Pistache qui semblait visiblement intéressé par la question. N'est-ce pas, Eddie ?

Le jeune garçon haussa les épaules.

— Pas tellement, reconnut-il, les sujets du secteur 12 ne sont pas tellement monstrueux ; la plupart ne présentent que des malformations osseuses ou organiques. Ceux dont vous parlez, et dont beaucoup n'ont qu'une lointaine apparence humaine, sont parqués dans d'autres zones plus au nord.

— A quel endroit ?

— Je ne sais pas.

— Comment ça, tu ne sais pas ?

— Non, je ne sais pas, et je pense que mon père l'ignorait aussi. Toutes les zones sont cloisonnées, indépendantes, et n'ont aucune relation entre elles.

— Il paraît qu'on en trouve du côté de la ceinture des radiations. C'est un gars qui me l'a dit.

— C'est possible, mais, à ma connaissance, personne n'est allé dans ces régions interdites.

— Mais enfin, comment c'est venu, tout ça ? interrogea Rubi à son tour.

La question parut surprendre Eddie.

— Bah, répondit-il, on a dû vous le dire...

— Ici, on ne parle jamais tellement du passé. Au Centre pédagogique, les cassettes disaient que c'était la faute des Anciens. Ces cons-là avaient commencé par inventer des tas de saloperies qui avaient pollué notre monde. Paraît que tout ce qu'on bouffait était dégueulasse, y avait plus rien de naturel. Et puis, il y a eu la Catastrophe qui a pollué l'atmosphère et même les mers... et puis la guerre...

— J'ai l'impression que tu mélanges un peu tout, coupa Eddie avec un sourire. D'abord, il n'y a pas eu de guerre, du moins dans le sens militaire du terme. Simplement une rivalité idéologique entre les deux grandes puissances qui dominaient le globe. A l'Est les communistes et à l'Ouest les autres.

— Autrement dit, ceux qui ne l'étaient pas, coupa Miria en levant les yeux au ciel. Je me demande comment on ne peut pas être communiste. Ça fait rêver.

— La ferme, s'écria Fredo, laisse-le parler, bon sang ! Continue, Eddie.

— L'atmosphère et les océans étaient déjà pollués avant que n'arrive la Catastrophe, reprit Eddie. Mon père disait qu'on ne pêchait déjà plus de poissons dans les mers quand le tremblement de terre a ravagé tout un pays dans le Nord. Il paraît que c'est comme ça qu'a commencé le Grand Bouleversement. Une usine de produits chimiques extrêmement nocifs et destinés, croit-on, à l'armement, a été détruite et ses produits chassés par les vents se sont répandus sur d'autres régions de la Terre, provoquant les premières mutations. Mais, à cette époque-là, beaucoup de gens étaient déjà morts. Des millions, à ce qu'on dit.

— La volonté de Dieu ! interrompit le

« curé ». Nul ne peut échapper à la volonté de Dieu ! Poussière, tu redeviendras poussière...

— Qu'est-ce qu'il raconte ? demanda Eddie en le désignant du pouce.

Rubi eut un mouvement d'épaules agacé.

— T'occupe pas, il ne croit pas un mot de ce qu'il dit. Il se donne un genre. Allez, vas-y, Eddie, on t'écoute.

— Eh bien, ensuite, il y avait des bombes volantes qui tournaient autour de la Terre. Ces bombes sont tombées et c'est ainsi que la radioactivité est apparue.

— Ouais, intervint Pistache, j'ai entendu parler de ça, moi aussi. Mais ces bombes, qui les avait envoyées ?

— Est-ce que je sais, moi ? D'après mon père, c'est ce qui a tout détruit. Des pays entiers ont disparu. Il y a eu des cyclones, des raz de marée, des tremblements de terre, et un tas d'autres trucs comme ça.

— Moi, ce que je comprends pas, c'est la mer, coupa Miria, et comment ils s'y sont pris pour la polluer. C'est grand, la mer... T'as déjà vu la mer ?

Eddie secoua la tête avec étonnement.

— Moi, non, mais vous, oui, certainement. La mer n'est pas très loin d'ici.

— Ouais, mais on ne peut pas approcher, c'est interdit. Ils ont mis du béton partout, sur les plages, et des barbelés. Paraît que c'est très dangereux de s'approcher. Alors, pour voir la mer, on est monté sur des collines, comme ça, mais on a rien vu à cause de la brume. Moi, j'en reviens à mon idée, comment qu'ils ont pu faire, ces cons-là, pour la polluer, la mer ?

— Oh, arrête ! clama Fredo en se levant tout à coup, on parle, on parle, mais qu'est-ce qu'on en a à foutre, maintenant ? Hein ? Tout ça, c'est du passé, ça ne compte plus. Allez, les gars, y en a marre, moi, je vais me pieuter.

Il entraîna Eddie, ouvrit une porte et tous deux passèrent dans un long couloir voûté. Il y avait d'autres portes en bois massif et l'une d'elles s'ouvrit tout à coup.

Une grande fille maigre apparut, avec des cheveux blond filasse qui lui descendaient jusqu'au ventre. Un pantalon de viscose élimé moulait ses jambes de sauterelle. Mais ce qui attira surtout l'attention d'Eddie, ce fut le cercle de métal qui lui enserrait la tête. Comme un grand anneau de cuivre. Ses yeux fous, exorbités, se posèrent sur Eddie.

— Tiens, voilà le nouveau, murmura-t-elle avec un sourire désabusé. Eddie Marchal, fils du docteur Marchal, zone 12, vingt-deux ans et grand amateur de filles brunes. D'ailleurs, il n'aime que les brunes. Pas vrai, Eddie ?

Elle éclata d'un rire grinçant et referma la porte.

— C'est Adée, envoya Fredo, un peu bizarre, mais rien d'inquiétant, rassure-toi.

Il ouvrit une autre porte et fit entrer Eddie

dans un petit réduit dont le mobilier se résumait à un lit de camp et à une commode faite de vieilles planches assemblées.

— Comment a-t-elle su que j'aimais les brunes ? demanda Eddie passablement intrigué.

Une seconde, Fredo parut gêné, puis il haussa les épaules avant de sortir.

— Te frappe pas, envoya-t-il, elle a dit ça comme ça.

CHAPITRE IV

Mhax était un habitué des sommets. Des sommets de la Ville.

Il y vivait presque en permanence d'une tour à l'autre, d'un dôme à l'autre, en se faufilant de toit en toit, de terrasse en terrasse, et en utilisant, quand il le fallait, un petit transporteur anti-g qui le maintenait dans le vide au milieu des longues traînées de brume.

Pratiquement invisible des passants qui encombraient les rues, Mhax poursuivait son va-et-vient de chasseur à l'affût.

Le petit appareil dorsal qu'il utilisait provenait d'un policier abattu quelques mois plus tôt et que Mhax avait découvert tout à fait par hasard.

Seuls les agents de surveillance avaient en

effet le droit de posséder et d'utiliser ces petits engins de transport individuel qui, selon les circonstances, leur assuraient une vélocité bien supérieure au commun des mortels, dont les véhicules étaient conçus pour ne pas dépasser une certaine vitesse.

Et Mhax n'ignorait rien des précautions qu'il devait prendre pour justement éviter tout contact avec les policiers, mais la brume épaisse dans laquelle il se fondait lui assurait une naturelle complicité.

Le grand garçon à barbe rousse se laissa choir sur une terrasse légèrement en contrebas et se plaqua dans l'encoignure du parapet, sa carabine bien serrée contre lui.

Ceux qu'il cherchait n'étaient plus très loin, maintenant. Quelque part au-dessous de lui, mais il avait le temps, rien ne pressait. Aussi prit-il tout d'abord la précaution de lever la tête.

Il regarda vers les hauteurs, fouillant la grisaille de ses yeux perçants, mais aucun policier n'apparaissait dans son sillage et cela le rassura.

C'était surtout le port de cet appareil illicite qui risquait de lui attirer des ennuis, car le Gouvernement ne tolérait pas que l'on empiétât sur ses moyens de maîtrise et de coercition.

La super-Mafia qui tenait le pouvoir, depuis le Grand Bouleversement, avait la main-mise sur toutes les activités commerciales, industrielles et financières du pays. Et c'était encore elle, bien entendu, qui avait inauguré l'Ere des Machines Pensantes, ces effroyables mécaniques destinées à régler et à déterminer le rendement économique de la nouvelle société.

Ainsi le crime et toutes les autres formes de la violence humaine échappaient aux sinistres machines, lesquelles, à l'image de leurs maîtres au pouvoir, n'avaient d'autres préoccupations que les questions financières et politiques.

D'ailleurs, n'avaient-elles pas été conçues uniquement pour ces deux raisons ?

Quant au reste, eh bien, le reste étant affaire des hommes, il était maintenant trop tard pour débroussailler la forêt, les herbes folles étant devenues plus géantes que les géants de la forêt !

Dans les affaires civiles, les policiers eux-mêmes ne jouaient que des rôles bien limités, et ce fléchissement était accentué par des périodes de travail obligatoire de trop courte durée.

On avait d'ailleurs réduit les périodes de travail depuis l'avènement des Machines Pensantes, et un flic, tout comme un autre, ne travaillait que dix ans de sa vie.

Dix ans d'une vie, au choix du travailleur et selon l'orientation professionnelle qui lui avait été imposée. Dix ans pouvant être assurés en une seule période dès l'âge de vingt ans, ou fragmentés en quatre entre vingt et cinquante ans. Et Dieu bénissait l'heureux « travailleur » qui trépassait avant d'avoir accompli son devoir national.

Mais, en dehors de ces périodes de travail obligatoire, chaque individu était libre d'entreprendre toutes sortes de trafic pouvant améliorer sa condition de vie. Trafic plus ou moins avoué, suscitant quelquefois les passions les plus violentes.

Mhax attendit encore une minute ou deux, puis se glissa sur le rebord de la terrasse. Sa manœuvre aérienne l'avait amené au-dessus de l'immeuble qu'il s'était fixé comme point d'observation.

Il était midi, et l'homme n'allait pas tarder à sortir, selon ses habitudes. Et Mhax avait tout noté avant de préparer son plan.

Pour les autres, tout se passerait encore de la même façon, et il avait bien l'intention de tout régler avant la tombée de la nuit.

On l'avait payé pour ça, et il avait encore une prime supplémentaire lorsqu'il en aurait terminé avec le dernier de la liste. Cette fois, Mhax avait passé un « contrat » avec un petit groupe de vieux habitants en bordure de la périphérie. Des vieux, certes, impotents pour la plupart, mais qui, dans leur jeune âge, n'avaient jamais dû briller par leur courage ou leur intrépidité.

Et ça existait, des gens comme ça qui tremblaient devant les autres, qui n'avaient pas le courage d'appuyer sur une détente, ni d'enfoncer une lame dans un ventre. Ces trucs-là dépassaient Mhax, oui, ça le dépassait !

Alors, incapable d'aller plus loin dans son raisonnement, il s'était mis au service des vieux et de tous ceux qui, pour une raison ou pour une autre, hésitaient à faire eux-mêmes leur propre justice.

Les petits vieux qui l'avaient engagé, cette fois, se plaignaient d'une bande de jeunes dont ils étaient devenus les souffre-douleurs.

L'avant-veille, quelques-uns avaient fait irruption chez eux et, rien que pour le plaisir, avaient tout saccagé. Puis ils avaient égorgé le chien et obligé une des vieilles à boire son sang, tandis que le pauvre animal gigotait encore. Ensuite, ils avaient dévêtu la vieille et l'avaient obligée à se masturber avec un barreau de chaise.

— Nous reviendrons, avaient-ils ajouté, et on vous crèvera tous.

« Maintenant, c'est eux qui vont crever », songea Mhax en glissant les balles dans le chargeur.

C'était dégueulasse. Il n'aimait pas du tout ces choses-là, Mhax, et il aurait même fait le travail pour rien. Uniquement pour le plaisir, lui aussi. Pour l'immense plaisir de ratatiner cette vermine.

Enfin l'homme sortit. Le premier. Mhax le repéra immédiatement dans le viseur cruciforme de sa carabine. Il se dirigeait vers son véhicule, d'un pas égal, sans se méfier.

Mhax prend son temps, le cadre et appuie sur la détente. Trente mètres plus bas, le garçon paraît comme figé une brève seconde, puis plie brusquement les genoux et s'abat de tout son long.

La balle a fait mouche à hauteur de la poitrine, un peu au-dessous du cou. Des gens s'écartent brusquement, s'enfuient comme une volée de moineaux.

Aux autres, maintenant !

Et les autres, Mhax sait très bien où les dénicher. Ils sont trois à attendre leur copain devant la Salle des Jeux Sexuels, dans le centre de la Ville... Ils y viennent pratiquement tous les jours à la même heure et n'en ressortent que vers 17 heures.

Sans se presser, Mhax actionne son transporteur anti-g et se propulse dans la grisaille. L'immeuble où il doit se rendre n'est pas très loin et quelques secondes lui suffisent pour l'atteindre.

Et le voilà qui descend, environné d'un paquet de brume qui imprègne ses vêtements d'une moiteur lourde chargée de poussières agglutinées.

Il réussit à atteindre une toiture inclinée où

il se fixe, à plat ventre ; face à l'entrée de la Salle. Le gibier est là, au grand complet, trois garçons maigres, efflanqués, voûtés comme des vibrions vus au microscope.

Ils attendent, et Mhax les observe un instant avec, quelque part au fond de sa conscience, cette joie lourde et sauvage du chasseur à l'affût.

Mhax les regarde ainsi, encore une seconde ou deux, puis lentement épaule son arme et vise selui du milieu.

Le bruit de la détonation amorti par le silencieux n'est qu'un « floc » perdu dans le bruit de la rue. La calotte crânienne arrachée comme un couvercle, le vibrion s'écroule sur lui-même entre ses deux copains ahuris.

Des cris, une agitation soudaine... Des têtes qui se lèvent... Un deuxième gars part à la renverse avec un trou rond à la racine du nez. Le sang jaillit et bouillonne dans le viseur de Mhax.

Mais voilà que le troisième l'a repéré. Il plonge sur le trottoir, derrière un véhicule en stationnement et sort une arme de sa ceinture.

Deux balles tirées coup à coup et Mhax sent les projectiles brûlants lui frôler la joue. Décidément rapide, le bonhomme ! Et précis.

Mhax réplique, visant avec une adresse diabolique à travers les glaces du véhicule et le garçon, planqué derrière, connaît un instant de panique. Aspergé d'éclats de verre, il débloque et se précipite en courant vers l'entrée de la Salle.

Mais Mhax le plombe avant qu'il n'ait réussi à l'atteindre. Le vibrion stoppe net, touché en plein dos et se retourne, fou de rage et de douleur... Il veut tirer, mais une autre balle le cloue sur place et il se courbe, les mains au ventre.

Il aura encore la force de relever la tête pour apercevoir, l'espace d'un éclair, la silhouette brumeuse quitter le toit.

Une silhouette grimpant vers les sommets... Les sommets de la Ville...

Comme « l'ange exterminateur » regagnant les nuées...

CHAPITRE V

Dans le Centre de Récupération, la visite commençait. Le directeur en termina rapidement avec les préambules d'usage, puis continua, de sa voix lourde et grave :

— La récupération des corps, vous le savez, est une entreprise sociale et humanitaire qu'il convient de placer dans les principes majeurs de notre société. Après la mort, les matières organiques se dégradent chimiquement selon le processus inéluctable de la décomposition et de la putréfaction. Autrefois, avant le Grand Bouleversement, les cadavres humains, placés à l'intérieur de coffres de bois ou de métal appelés cercueils, étaient entreposés dans des nécropoles ou cimetières, selon l'appellation de l'époque, et devenaient l'objet de rites divers tendant à entretenir le souvenir du défunt. Ces coutumes, dit-on, remontaient à la plus haute antiquité. Mais il a fallu le Grand Bouleversement pour changer ces conceptions ridicules, car la mort brutale de centaines de millions de personnes a transformé le monde en un gigantesque charnier. Il n'était donc plus possible d'enterrer les morts, de donner à chacun une sépulture normale et traditionnelle ; la putréfaction, devenue source d'infection, provoquait des épidémies contre lesquelles on était devenu impuissant. Il a fallu entasser ces cadavres un peu partout et les brûler dans des fosses communes. Dès lors, toutes nos conceptions étaient changées, du fait que notre monde, ruiné et dévasté, se trouvait privé de ses diverses formes de synthèses industrielles. Les cadavres, plutôt que d'être enterrés ou brûlés, devaient profiter à l'humanité selon le principe qui veut que tout individu en ce monde doit léguer son corps pour la survie de ses semblables.

Un grand silence régnait parmi les élèves groupés autour du directeur. C'était la première fois que ces adolescents, sortis tout droit du Centre d'Orientation Professionnelle, étaient admis en ces lieux. Les futurs techniciens de la récupération corporelle prenaient des notes, griffonnant fébrilement sur leurs carnets.

— N'oubliez jamais une chose, poursuivit le directeur avec application, une société de consommation, si elle pourvoit au moindre désir du consommateur, exige aussi le sacrifice de ce dernier. Je consomme, tu consommes, il consomme, nous consommons, vous consommez, ils consomment... Voilà pourquoi notre corps devient un jour produit de consommation.

Fier de cette trouvaille verbale, le directeur sourit d'un air satisfait puis ouvrit une porte.

— Par ici, dit-il en entraînant les élèves sur une longue passerelle d'acier qui surplombait un vaste local encombré d'appareils de toutes sortes et où s'affairaient une multitude de techniciens en blouse blanche.

Ce qui surprenait au premier abord, c'étaient les cuves, les immenses cuves toutes bouillonnantes placées au centre du local.

Celle du milieu avait les dimensions d'une piscine de compétition. Et puis l'odeur, une odeur de bouillon, de pot-au-feu qui imprégnait l'atmosphère !

— Les corps sont introduits par les ouvertures que vous voyez sur le mur de droite, indiqua le directeur, après avoir été débarrassés de leurs vêtements et aseptisés dans les chaînes de contrôle que l'on vous fera visiter dans un instant. La première préparation comprend l'épilation et l'ablation des ongles, cheveux et ongles, étant destinés à la confection des étoffes et de certaines chaussures.

D'un doigt précis, il indiquait les petites machines qui, manipulées par des techniciens, scalpaient, épilaient et désonglaient les cadavres. Chaque élément était ensuite trempé dans des bains désinfectants avant d'être badigeonné de produits de conservation.

Et cela continuait, et le directeur expliquait les techniques utilisées pour la conservation de ces éléments ; comment, ensuite, les cadavres, ainsi dépouillés, étaient acheminés sur des plaques roulantes vers les diverses cuves perpétuellement emplies d'eau bouillante ; comment on parvenait à en dégager les graisses et les chairs que l'on recueillait pour la fabrication d'engrais destinés à certains végétaux qui, par leur fonction chlorophyllienne, assuraient un appréciable apport d'oxygène.

— Uniquement pour ces végétaux, précisa-t-il, car la loi interdit évidemment que de tels engrais soient utilisés pour les plantes comestibles.

Il indiqua comment encore ces matières organiques pouvaient suppléer aux graisses animales entrant dans la composition de produits ménagers ou autres, devenus rares depuis l'extinction de certaines espèces ; comment les phosphates, le phosphore et autres minéraux pouvaient être judicieusement utilisés dans l'industrie, tandis que les os, dernière ressource de cette macabre dissociation, servaient royalement à la fabrication du savon.

Les crayons couraient fiévreusement sur les

pages des carnets alors que le regard du directeur se fixait (pour la troisième ou quatrième fois) sur une grande fille brune au visage triste. C'était la plus âgée du groupe. Sa carte portait vingt-deux ans.

— Voilà, dit le directeur, tandis que, prenant la relève, un homme en blouse blanche arrivait sur la passerelle. On va vous montrer maintenant les différentes salles de répartitions chimiques. Je vous reverrai après la visite.

Comme les élèves s'apprêtaient à suivre l'homme en blouse blanche, le directeur fit un signe à la fille brune.

— Non, pas vous, dit-il. Si vous le permettez, j'aimerais que nous ayons un entretien. Voulez-vous me suivre dans mon bureau, je vous prie...

Il n'y eut aucune question, simplement un regard étonné. La jeune fille brune suivit docilement et, une fois introduite dans le bureau directorial, attendit posément.

Le directeur l'invita à s'asseoir et prit place derrière sa table de travail. Il prit une fiche et la tint dans sa main.

— Vous êtes Celia Granger, B-X 525-14, commença-t-il avec ennui, et vous êtes déjà en fonction au Centre de Rééducation Politique depuis deux ans. C'est bien exact ?

— Oui, monsieur le directeur.

— Vous avez manifesté le désir d'être mutée dans cet établissement et vous avez obtenu du

Centre d'Orientation Professionnelle les cassettes pédagogiques vous instruisant de ce nouvel emploi.

— C'est vrai.

— Pour quelle raison désiriez-vous cette mutation ?

Celia secoua légèrement la tête.

— Le travail que l'on m'impose actuellement me déprime profondément. Il ne convient pas à mon état d'esprit.

Le directeur sursauta.

— C'est impossible... vous avez suivi des tests, et ces tests ont été contrôlés par les Machines Pensantes. Vous avez été également conditionnée pour le travail auquel vous étiez destinée.

— Je ne suis pourtant pas la seule dans mon cas.

— Fadaises, rejeta le directeur. Ces propos sont diffusés par des éléments subversifs, ennemis du gouvernement. Et puis, je n'aime pas beaucoup que vous employiez le mot *imposé* lorsqu'il s'agit d'un devoir national. Le travail est un devoir national et l'on doit s'y soumettre dans l'intérêt général, souligna-t-il avec une bonhomie légèrement menaçante. Quand on ne peut échapper à son destin, la sagesse vous invite à méditer sur l'une des règles majeures de notre société, et cette règle nous conseille d'aimer ce qu'on est obligé de faire. L'auriez-vous oublié ?

Celia secoua la tête.

— Non, insista-t-elle timidement, mais on m'a quand même permis cette mutation.

— Je sais, mais il y a un ennui pour vous, et j'en suis navré.

Le directeur prit une fiche extraite d'un télex.

— Les mutations d'emploi viennent d'être frappées d'interdiction. La loi est passée ce matin. Je ne puis plus accepter votre candidature.

Le visage de Celia s'assombrit brusquement. Il lui semblait soudain que son cœur avait disparu, laissant un grand trou vide dans sa jeune poitrine.

— Mais..., murmura-t-elle, cela m'a coûté beaucoup d'argent... beaucoup de sacrifices. J'ai passé des nuits à étudier les...

— Je regrette, coupa le directeur en se levant. Je n'y puis rien.

Il entraîna la jeune fille et eut un mouvement d'épaules comme s'il cherchait à réduire l'importance de cette affaire.

— Vous pouvez revendre votre nouvelle carte d'emploi, dit-il. Il y a des gens qui, en dehors de leurs périodes obligatoires, cherchent de nouvelles affectations. Je suis sûr que vous n'aurez aucune difficulté à arranger cela. Venez, je vous accompagne.

Il descendit avec elle et la ramena dans le grand hall d'accès.

A cet instant, une longue voiture noire de récupération arrivait avec un chargement de cadavres. Des hommes en blouse blanche, poussant des chariots, s'activaient à dégager les corps.

— Tués par balles, annonça négligemment le chauffeur tout en signant le registre. Devant la Salle des Jeux Sexuels.

Il s'en trouvait trois, longs et maigres... L'un d'eux avait la boîte crânienne arrachée comme un couvercle.

CHAPITRE VI

Eddie avait dormi d'une seule traite. Quand il se réveilla, il était plus de 10 heures.

Immédiatement, les souvenirs de la veille lui revinrent en mémoire et il se demanda un instant s'il avait bien fait d'accepter la proposition de Fredo.

Il n'était pas taillé à la mesure de ses nouveaux compagnons, il manquait d'expérience et n'avait que des connaissances « théoriques » de la vie scandaleuse qu'on menait dans les zones libres.

« Scandaleuse »... Le mot était entré en lui pour la première fois, et il se demandait avec appréhension quelle valeur réelle il devait accorder à ce mot.

Quelque chose l'effrayait, tout à coup, et le

cauchemar de la nuit réapparut en lui... sous la forme d'une immense pieuvre qui l'enserrait de ses longs tentacules.

Eddie se débattait, mais la pieuvre paralysait tous ses mouvements. La pieuvre... l'humanité... la civilisation... C'était cela, il ne rêvait pas le cauchemar, *il le vivait !*

La civilisation l'enserrait, le paralysait... Il n'avait pas été élevé pour vivre dans cette jungle.

Oui... « scandaleuse »... c'était bien le terme qui s'appliquait à cette société qui l'effrayait tant. Mais y avait-il d'autres possibilités d'existence ?

Dès qu'il abordait cette question, il perdait pied... Il n'avait pratiquement aucune connaissance du passé et il en arrivait à se demander si cela n'avait pas toujours été comme ça.

Alors, dans ce cas, il manquait de compréhension et de jugement... La société était comme ça, parce qu'elle ne pouvait pas être autrement, comme ça parce que les choses étaient ce qu'elles étaient et le seraient jusqu'à la fin des temps.

Il n'était pas adapté, tout simplement. Il n'était pas intégré. Les autres l'étaient, mais pas lui. Pas lui. Pour Fredo et les autres, tout était normal, et eux ne se posaient pas de questions. C'était leur monde... Ils appartenaient à ce monde !

Alors ?

Il préféra renoncer à cette question et renoua avec des préoccupations plus matérielles, plus concrètes. Peut-être parce qu'elles appartenaient à une quotidienneté à laquelle il ne pouvait se soustraire, une quotidienneté qui avait aussi ses exigences.

Il trouva une douche sommairement bricolée au fond du couloir, se lava et se rhabilla. Comme il revenait, il remarqua qu'une porte était restée entrebâillée, et il se souvint que c'était la chambre d'Adée, Adée, la blonde créature aux yeux fous.

Intrigué, il poussa la porte et regarda. Adée était là, sur son lit, avec toujours le même anneau de cuivre qui lui enserrait le crâne. Elle paraissait dormir, mais il devinait parfaitement qu'elle était éveillée.

— Adée, appela-t-il, Adée...

Il n'eut aucune réponse, Adée ne bougeait pas, un pâle sourire flottait sur ses lèvres décolorées.

A quel jeu jouait-elle ? Et que signifiait cet anneau de cuivre ? Et ce petit fil boudiné qui partait de l'anneau pour se perdre dans une boîte de métal posée à même le sol, tout près du lit ?

Il haussa les épaules, rejeta toutes ses folles idées et revint dans sa chambre pour y rafler le paquet de cigarettes qu'il avait laissé sur la commode branlante.

Lorsqu'il entra dans la salle commune, un

instant plus tard, une grande animation régnait parmi ses nouveaux compagnons. Tous s'affairaient autour d'un grand mannequin que l'on achevait de fixer sur son socle.

C'était un « forniqueur » électronique comme il en existait des tas, dans la Ville, fonctionnant sur la simple et banale introduction d'une pièce de monnaie.

Un grand Noir, en plastique et à la puissance bovine !

— Regarde, envoya Fredo en riant, on a réussi à en piquer un. Les filles vont être contentes. On va rudement se marrer.

— Il marche pas, interrompit Miria, c'est Rubi qui l'a dit...

— Mais non, assura Pistache en se redressant. Je l'ai réparé. Y marche même très bien.

— Chouette !

— Tu veux l'essayer ?

— Et comment !

Encouragée par les autres, Miria n'hésita pas une seconde. Elle déboucla sa ceinture et fit glisser son pantalon de viscose tandis que Pistache, qui avait dégagé le compteur, appuyait sur un petit bouton.

Immédiatement, les bras du mannequin se levèrent et se plièrent à quarante-cinq degrés. Miria se colla contre le torse et prit appui sur les bras tout en écartant les jambes. Elle sursauta légèrement et poussa un petit cri lorsqu'elle fut pénétrée brutalement. Puis elle se mit à gigoter dans la cadence du mouvement tandis qu'Eddie tournait la tête avec écœurement.

— Tu t'y feras, envoya Fredo. Y a même aussi des mannequins-femmes pour les gars, mais c'est moins amusant. Ces trucs-là, c'est bon que pour les filles. Sauf Bella.

Il désigna Bella avec son bras en écharpe.

— Elle, pas question. Même pas nous. Ici, personne l'a touchée. Elle veut rien entendre. Vrai, ce que je te dis.

Il se mit à rire et changea de conversation.

— Bon, dis-moi, t'as de l'argent ? Car ici, tu sais, on met tout en commun. Tu as dû recevoir des avances.

— Oui, bien sûr, fit Eddie en sortant quelques billets de sa poche.

— Même que t'as dû recevoir ta première mensualité sur la prime qui t'est donnée pour ton corps. Je sais pas, là-bas, dans la zone 12, comment ça se passe, ni ce que vous faites des macchabs, mais ici, tout est profit. Ta carcasse revient à l'Etat et on te la paye... à condition qu'elle soit pas trop dégueulasse.

Il se mit à rire.

— Mais pas de souci avec toi, t'es sain et solide, pas vrai ?

Il tapa sur l'épaule d'Eddie.

— Et ta carte de travail ? A propos, dans quelle branche t'a-t-on dirigé ?

— Eh bien..., je... je ne sais pas encore. Mais on est en train de s'occuper de moi.

— Comment ça ? intervint Rubi qui s'était approché. T'as pas d'affectation ? T'as pas suivi des cours d'orientation ?

Eddie se composa un sourire.

— J'avais commencé à apprendre la médecine, et puis j'ai décidé de venir ici. Il me faut le temps de me réorganiser. Mais le Centre d'Orientation s'en occupe. J'aurai des cours à suivre.

— Si t'es pistonné, ça ira vite, formula le « curé ». Au paradis, les saints font la loi. Je suppose que t'appartiens à la politique du gouvernement ?

— Euh... non... non... pas du gouvernement.

— Alors, laquelle ? A quel parti tu es ?

— Eh bien, je... A aucun... Je n'ai jamais suivi de cours politique.

— Tu plaisantes ?

— Non, ceux qui vivent dans les secteurs interdits sont dispensés d'affectations politiques, du fait qu'ils ne sont plus intégrés dans la société.

— Tiens, je savais pas...

— Si, si, mais on va aussi s'occuper de ça, rassurez-vous. Quoique, à mon avis, cela n'ait pas grande importance.

— Pas grande importance ? s'exclama Fredo, tu en as de bonnes ! Ma parole, mais t'as pas l'air d'être bien documenté sur la question.

— Non, pas tellement, avoua Eddie.

— Alors, écoute bien.

Fredo se lança dans une longue explication qu'Eddie écouta avec une curiosité qui perçait au travers de sa gêne.

L'éducation politique se faisait dans les centres pédagogiques. Dès leur plus jeune âge, les enfants étaient instruits d'une politique qui leur était déterminée et imposée par les Machines Pensantes.

Toutes les idéologies étaient représentées dans la nouvelle société ; vieilles idéologies appartenant aux anciens régimes et allant du marxisme le plus sectaire jusqu'au national-socialisme le plus sévère, en passant par le libéralisme républicain, le gaullisme, le maccarthysme et le monarchisme le plus absolu. Le malthusianisme avait aussi ses droits, et dans le même pourcentage, car en fait, la répartition des idéologies était sévèrement contrôlée par les Machines.

On « fabriquait » un nombre égal de communistes, de gaullistes, de royalistes et autres, mais le gros pourcentage restait aux disciples du Pouvoir. Et ceux-là dépassaient en nombre toutes les autres cellules additionnées. Le Pouvoir restait le Pouvoir, avec sa perpétuelle et écrasante majorité.

Et le monde allait ainsi... parce que les politiques étaient nécessaires, parce qu'ayant rejeté toutes les anciennes religions (et Dieu avec) les hommes devaient continuer à croire en quelque chose.

Chaque politique donc était devenue une religion, avec ses temples, ses rites, ses cultes et ses offices, et Marx, De Gaulle, Mao, Mac Carthy étaient les nouveaux dieux offerts à l'humanité !

Et pour ceux-là, les cassettes enregistrées se chargeaient de « fabriquer » de sincères admirateurs.

— Il y a quand même quelque chose que je ne comprends pas, fit Eddie. À quoi peuvent bien servir toutes ces idéologies, puisque aucune d'elles n'a la moindre chance d'arriver au pouvoir ?

Fredo ouvrit de grands yeux.

— Le pouvoir, faut pas y toucher.

— Mais...

— Enfin, voyons, les politiques existent pour entretenir la contradiction, et c'est très important pour le Pouvoir. C'est à travers les diverses revendications qu'il trouve des idées nouvelles. Et chaque parti est fier d'en amener. Tu piges ? Alors, au moment des grandes assemblées, on défile dans les rues en répétant les slogans qu'on nous a appris.

— Et ils disent quoi, ces slogans ?

Fredo haussa les épaules.

— Bah... des choses, mais faut pas chercher à comprendre. La politique, c'est comme ça, y a ceux qui dirigent et les autres. Ce sont ceux qui dirigent qui pensent, pas les autres, ça sert à rien. Et puis le monde est comme ça ! Maintenant, en dehors de ces périodes, je peux te dire que personne ne parle de politique. On va aux temples, de temps en temps, et c'est tout !

Il se mit à rire tout en indiquant ses copains.

— Tu vois, ici, on arrive à très bien s'entendre. Miria est maoïste, Pistache gaulliste, Adée et le curé royalistes, Bella maccarthyste et Rubi et moi sommes des républicains libéraux. Seulement, toi...

Et il redevint sérieux, perplexe même.

— Seulement, toi, avec tout ce que tu viens de nous dire, t'es comme qui dirait dans une situation irrégulière. Eh oui, irrégulière. Pas de carte de travail, pas d'affectation, pas de parti politique... Tu te rends compte ?

— Tu as sans doute raison, approuva Eddie avec un froncement de sourcils, mais à mon tour de poser des questions. Il y a ici des choses qui m'intriguent beaucoup et j'aimerais bien savoir...

— Savoir quoi ?

— A commencer par ça.

Eddie s'empara du livre que le « curé » tenait dans sa main. Un livre épais, relié de cuir vert et portant le mot « Bible » frappé en lettres d'or. Il le feuilleta face à l'assistance muette et attentive.

— Un livre religieux..., reprit-il. Curieuse lecture, quand on sait que les livres religieux sont interdits.

— Pas interdits, rectifia Rubi, seulement déconseillés.

— Où l'avez-vous trouvé ?

— Dans une ruine. Mais quelle importance, le « curé » se moque bien de ce qu'il y a dedans.

— Alors, pourquoi passe-t-il ses journées à le lire ?

— Bah, c'est amusant ! envoya le « curé » en souriant. Faut bien tuer le temps, quoi...

— Autre chose. Qu'est-ce que c'est que ce truc qu'Adée porte sur la tête ? Je n'ai encore jamais rien vu de pareil.

Cette fois, il y eut une hésitation générale qui n'échappa pas à Eddie. Tous les regards étaient braqués sur Fredo, comme si la réponse ne dépendait que de lui. Mais Fredo haussa les épaules.

— C'est un télé... euh... oui, c'est ça, un télépsychic. Un truc formidable et qui, j'en suis sûr, dépasse tout ce que tu peux imaginer.

Il se mit à rire et se lança dans une explication filandreuse où il était question de « participation morale », de « visions extracorporelles » et de « souvenirs extralucides ». En fait, l'appareil télépsychic permettait à celui qui le possédait de se « brancher » sur l'esprit d'un individu de son choix et cela par un simple courant d'ondes télépathiques. D'après Fredo, Adée pouvait ainsi fouiller et s'immiscer dans le cerveau des autres, violer leur intimité et « participer » même à leurs agissements les plus secrets. Et le comble, c'était qu'Adée pouvait aussi « faire l'amour » psychiquement, avec n'importe lequel des partenaires en présence. D'un homme ou d'une femme, les sensations qu'elle éprouvait étaient celles de l'être dont elle devenait l'hôtesse.

Et son passe-temps était aussi de fouiller dans les souvenirs des uns et des autres, à tel point que cela lui était devenu indispensable.

Comme une drogue !

— Ce truc-là n'existe pas dans notre société, déclara Eddie avec une pointe d'inquiétude, où l'avez-vous trouvé ?

Fredo secoua la tête comme s'il s'était attendu à cette question. Il regarda les autres puis, comme personne ne semblait faire d'objection, lâcha d'un trait :

— Dans la Ville Morte.

— Que veux-tu dire ?

— Ecoute bien, Eddie. T'es maintenant des nôtres et il faut que tu saches. Mais c'est notre secret, tu entends ? Faut rien dire. A personne.

— Vous pouvez avoir confiance en moi, vous le savez.

— Très bien. Tu te souviens de ce qu'on t'a dit. En dehors des dix années de travail obligatoire, tout le monde, ici, peut se trouver un job où il est bien rare que la police vienne fourrer son nez. Les gens font du fric avec tout ce qui permet d'en faire, tu piges ? Alors, nous, on s'est trouvé une combine avec la Ville Morte. C'est Pistache qui, un jour, en a trouvé l'entrée, comme ça, sous un tas de rochers, et alors qu'il fouinait dans les environs. Il s'agit d'une ancienne ville d'avant la Catastrophe, qui a été ensevelie sous les laves. Mais pas complètement détruite, comme tu pourrais le croire. Y a encore des endroits qui sont magnifiquement conservés. Alors, on y trouve des tas de trucs, des bibelots, des instruments de travail, des... est-ce que je sais ? Un vrai pactole. Y a qu'à puiser dans le tas.

Il se mit à rire.

— Alors, de temps en temps, on y va, sans se faire remarquer et on ramène des trucs qu'on vend à la mine du client. Avoue qu'on a trouvé une bonne combine, hein ?

— Et vous n'avez jamais signalé votre découverte à personne ? s'exclama Eddie. Comment se fait-il, bon sang ?

— Ah ! chiale pas comme ça, renvoya Fredo, on n'en a rien à foutre, des autres. Le gouvernement serait le premier à piller cette ville et ça reviendrait au même. Et puis, c'est notre secret, tu entends ? Elle est à nous, cette ville... A nous !

Il allait continuer lorsqu'un bruit de pas, derrière lui, le fit se retourner.

— Tiens, voilà ma sœur, reprit-il en souriant à une jeune femme qui s'avançait vers lui.

Il y avait une pointe d'ironie dans le mot « sœur » prononcé du bout des lèvres.

Du menton, il désigna la jeune femme à Eddie.

— Je te présente Celia. Celia est infirmière troisième degré au Centre de Rééducation Politique. Quand je dis ma sœur, je ne plaisante pas, nous sommes issus des mêmes parents. On a appris ça y a pas très longtemps en comparant nos fiches d'état civil. Amusant, non ?

Eddie ne broncha pas. Son regard restait fixé sur la jeune femme brune dont l'air triste et désabusé avait quelque chose de douloureux au milieu de tant de beauté. Car Celia était belle, divinement belle, mais d'une beauté que son sourire brisé semblait marquer au fer rouge.

— Alors, sœurette, qu'est-ce qui t'amène ? demanda Fredo.

Elle arrivait tout droit du Centre de Récupération, encore toute chagrinée par le refus qui lui avait été opposé par le directeur principal. Le décret interdisant toute mutation d'emploi était passé le matin même. Décidément, pas de chance.

— Alors, j'ai pensé que tu pouvais peut-être m'aider à trouver quelqu'un qui m'achèterait cette carte, avoua-t-elle à Fredo. Quelqu'un qui a terminé ses dix ans de T.O. et qui veut se reconvertir. Tu connais pas mal de monde, n'est-ce pas ?

Fredo secoua la tête et fit la grimace.

— Ouais, c'est possible, je peux toujours essayer.

Il désigna Eddie du pouce.

— Ça aurait pu l'intéresser, mais je te préviens, il a pas un rond.

Le regard de Celia sauta sur Eddie. Ce dernier ajouta une grimace à celle de Fredo.

— Je vous promets d'y réfléchir, dit-il, mais votre frère vous l'a dit, je n'ai pas d'argent.

— Ça ne presse pas, renvoya Celia en lui tendant la carte de travail. Gardez-la. Si vous vous décidez, eh bien, vous paierez quand vous le pourrez.

— C'est très gentil à vous, et je ne sais comment vous remercier.

— Aucune importance, mais vous pouvez toujours commencer par me raccompagner. Je n'ai pas de voiture et je suis assez pressée.

— Je voudrais bien, mais, hélas, je n'ai plus de voiture.

Fredo sortit sa clé de contact magnétique et la lança à Eddie.

— Prends la mienne, dit-il avec un sourire. Mais fais gaffe de ne pas la violer en route. C'est ma sœur, faut pas y toucher.

Tous s'esclaffèrent, tandis que Celia grommelait entre ses dents. Elle prit congé et Eddie l'entraîna au-dehors.

CHAPITRE VII

La voiture de Fredo était garée non loin de là, derrière les ruines, sa masse grise fondue dans la grisaille de la rue. Il n'était pas loin de midi et une lumière avare filtrait péniblement à travers le rideau de brume.

La voiture démarra et fila au cœur de la cité. Dans le silence. Celia ne parlait pas, sauf, de temps à autre, pour indiquer le chemin. Elle restait comme figée sur son siège, le visage immobile, sans expression, comme isolée au tréfonds d'elle-même, dans un monde qui était le sien. Un monde à part.

Eddie l'observait du coin de l'œil, gagné par un sentiment d'incertitude. Cette fille lui échappait, il y avait en elle quelque chose d'inaccessible où venaient buter tous ses efforts de compréhension.

Et puis soudain, le visage de Celia se durcit, ses yeux fixés sur le rétroviseur s'agrandirent comme sous l'effet d'une intense émotion.

— Nous sommes suivis, murmura-t-elle.

Eddie repéra à son tour la voiture longue et noire qui filait dans leur sillage. Il y avait trois hommes à bord.

— Qui sont-ils ?

— C'est à moi qu'ils en veulent. Ce sont des *craps*.

Elle ne se trompait pas et son regard exercé avait rapidement décelé les sinistres personnages.

La prostitution, le commerce de l'amour étaient choses légales dans ce monde... et le gouvernement en exerçait le monopole exclusif au même titre que le tabac, l'alcool et les drogues mineures.

Une nouvelle régie était née, avec l'amour comptabilisé, administré et fonctionnarisé dans des bordels d'Etat jalousement surveillés. La prostitution était devenue une profession comme les autres et l'Etat « fabriquait » des catins au même titre que des couturières, des soudeurs, des mécaniciens et des sténodactylos.

Dans les Centres d'Orientation Professionnelle, on enseignait à devenir catin, à acquérir la mentalité d'une catin, à raisonner et à vivre enfin comme une catin.

Et ce proxénétisme hautement nationalisé faisait appel également à des souteneurs d'Etat chargés de veiller à la bonne marche et à la rentabilité de cette « hygiénique et honorable institution ».

Mais il y avait aussi les *craps,* comme les appelait Celia. Des privés, en somme, travaillant pour leur propre compte et usant de la force pour se procurer des filles susceptibles de « travailler » pour eux dans la clandestinité.

Et Celia, depuis quelque temps, était la proie de ces gens qui exerçaient sur elle toutes sortes de pressions. Elle avait été suivie le matin même, lorsqu'elle s'était rendue chez Fredo, et puis les *craps* avaient disparu. Peut-être s'étaient-ils lassés, mais voilà maintenant qu'ils reparaissaient, avec la même obstination.

— Pourquoi ne pas avoir averti la police ? demanda naïvement Eddie.

Il comprit la puérilité de sa question. Celia haussa les épaules.

— La police ? dit-elle. Si vous comptez sur elle pour vous défendre !... La police, c'est bon pour embêter les honnêtes gens, pas les autres, parce qu'avec les autres, il y a des risques. Si tant est encore que les flics ne les protègent pas.

— N'exagérez quand même pas les choses.

— Je n'exagère pas. Je suis certaine que ça a dû être comme ça de tout temps.

Eddie appuya sur le champignon en même temps que son regard sautait sur le rétroviseur.

Quelques secondes coulèrent.

La voiture suiveuse s'était laissé surprendre et distancer par la brutale accélération. Mais elle revint rapidement à une allure folle.

— Attention ! cria Celia.

Il y eut un choc sourd à l'arrière, sur la cage du moteur, en même temps que se bloquaient tous les circuits énergétiques de l'engin.

Ejecté de la voiture suiveuse, il s'agissait d'un petit appareil magnétique destiné à bloquer le moteur, et qu'une ventouse de ferrite maintenait sur la tôle.

Brusquement, Eddie réalise le piège. Moteur coupé, son véhicule continue à filer sur la piste, en bordure d'un immense terrain vague qui se prolonge jusqu'au faubourg nord de la ville.

Il réussit à éviter de justesse un autre véhicule venant en sens inverse, se rétablit et stoppe dans un freinage brutal.

Immédiatement, il se dégage de l'appareil, entraînant Celia avec lui. Mais déjà les *craps* ont stoppé à quelques mètres de là et s'élancent sur eux.

Il y a une station de bus à l'amorce du faubourg. A quelques centaines de mètres à peine.

— Courez, Celia ! indique le jeune garçon. Vite, dépêchez-vous !

Et tandis que la jeune fille, affolée, s'enfuit au pas de course, Eddie se tourne vers les trois hommes qui arrivent sur lui.

Coups de pied, coups de poing, une ruade au bas ventre et le premier mord la poussière après avoir buté sur les deux autres qui, à leur tour, dérapent et s'affalent sur le gravier.

La fuite est la seule chance qui reste à Eddie. Il fonce dans le terrain vague, mais, derrière lui, les *craps* se sont ressaisis et ont dégainé leurs armes. C'est lui, maintenant, qui devient leur objectif. Pour Celia, ils ont tout le temps. Rien ne presse... D'abord se débarrasser de cet idiot !

Les premières balles sifflent aux oreilles d'Eddie. Il plonge derrière un tas de gravats et continue à filer à quatre pattes dans les ruines qui forment, entre lui et ses poursuivants, une longue barrière de protection.

Il réalise alors l'erreur qu'il a commise en négligeant l'arme que Fredo lui a donnée, la veille au soir.

Maintenant, il est à la merci des trois hommes lancés à ses trousses. Les pas se rapprochent. Il n'aura jamais le temps d'atteindre le faubourg et un désespoir immense l'envahit lorsque, soudain, un homme surgit devant lui, l'arme au poing.

Un rire épais vient saluer la victoire du chasseur.

Et le chasseur lève son arme.

Et le chasseur s'abat, tout à coup, la tête éclatée comme une grenade trop mûre.

Il tombe sur le tas de ruines comme un grand singe abattu.

Un autre coup de feu... Un cri, cette fois...

Eddie se redresse et regarde, droit devant lui. Un deuxième homme vient de rouler au sol et son cri se noie dans un affreux gargouillis.

Le troisième tourne sur lui-même, comme une bête affolée...

Qui tire ? D'où cela vient-il ?

La mort, invisible, semble jouer avec lui. A cache-cache.

Il tombe, roule sur le côté, les yeux toujours braqués sur le ciel. Désespérément ouverts. Mais des yeux vides, tout à coup. Voilés sur une ultime vision, aussi désespérante que tout le reste. Car le ciel reste gris, uniformément gris.

Une grisaille muette... Et pourtant...

Une silhouette apparaît, tout à coup, fendant

les traînées de brume. Un grand gaillard à barbe rousse porté par une étrange petite machine.

Eddie mit un certain temps à réaliser la présence bien réelle de cet homme. Ce n'était pas un rêve et il le voyait très bien, maintenant, avec son long fusil dans la saignée du coude.

Il vit également Celia qui revenait vers lui. Elle n'avait pu atteindre le faubourg et s'était réfugiée, elle aussi, dans les ruines.

Eddie souffla de tous ses poumons, essuya la sueur qui coulait à ses tempes et regarda le garçon à barbe rousse.

— Merci, dit-il sans comprendre. Merci, vous m'avez sauvé la vie.

L'autre se mit à rire.

— Sauver la vie ? Mais je n'ai pas voulu te sauver la vie. Après tout, je ne te connais pas, moi, et j'en ai rien à foutre, de ta vie.

Il eut un haussement d'épaules, puis désigna les trois *craps* étendus dans la poussière.

— J'ai décidé de les avoir quand je les ai vus courir après toi... Je les ai reconnus. Y a longtemps que je voulais les coincer. Maintenant, c'est fait, et c'est tout ce qui compte. Qui es-tu ? Moi, je m'appelle Mhax.

— Je te connais, intervint Celia en s'approchant. J'ai entendu parler de toi chez Fredo.

— Fredo est mon ami.

Celia désigna Eddie.

— C'est aussi un ami de Fredo.

— Tiens, tiens !

Mhax tapa sur l'épaule d'Eddie.

— Alors, dans ce cas, tant mieux si je t'ai sauvé la vie, appuya-t-il. Mais n'oublie quand même pas une chose. Du chasseur et du lapin, c'est toujours le lapin qui a le mauvais rôle. Arrête de jouer les lapins. Les lapins, tu sais, ça ne fait jamais de vieux os !

Et il ajouta, en branchant les contacts de son petit appareil dorsal :

— A un de ces jours. On se reverra. J'espère bien qu'on se reverra.

Sa voix résonnait encore aux oreilles d'Eddie lorsqu'il s'éleva et disparut dans la grisaille du ciel.

CHAPITRE VIII

La Ville Morte, la cité engloutie, comme disait Fredo, n'était qu'à quelques kilomètres de là, enfouie sous un amoncellement de lave solidifiée, en bordure d'une rivière roulant ses eaux sales et nauséabondes.

Le grand secret... La loi du silence... Fredo et sa petite équipe étaient en effet les seuls à connaître l'existence de cette ancienne cité. Ils en étaient les maîtres. Elle leur appartenait et ils en parlaient comme d'une conquête héroïque des temps passés. Avec la même fièvre et la même ferveur.

Peut-être même y avait-il un trésor... enfoui quelque part... Mais comment savoir ?

Rubi en avait dressé une carte approximative, avec les galeries naturelles que le refroidissement des laves et les diverses secousses telluriques avaient fait naître, de-ci de-là, ce qui permettait de circuler dans la Ville Morte, dont certains endroits semblaient avoir été épargnés par les cataclysmes.

On en parlait souvent le soir, surtout lorsque l'équipe s'apprêtait à une nouvelle expédition. Et Fredo avait décidé que le voyage se ferait à la fin de la semaine.

L'argent manquait, alors on ferait un chargement et on irait vendre la marchandise aux amateurs d'objets rares et anciens. Car, en fait, il arrivait parfois de trouver de ces objets en fouillant les sols ou simplement l'emplacement d'anciens immeubles datant du Grand Bouleversement.

Les fouilles étaient libres de ce côté-là et personne ne se préoccupait jamais de savoir à quel commerce lesdites choses étaient destinées.

Et puis, ce serait le premier voyage d'Eddie, sa participation pleine et entière aux affaires du groupe. Car il était des leurs, maintenant...

Le grand secret... La loi du silence... A la vie à la mort...

Un type bien, Eddie... D'abord ce qu'il avait fait pour Bella... Ensuite Celia. Il n'avait pas hésité à la protéger devant les *craps* lancés à ses trousses. Au péril de sa vie... Un type bien... Un frère, quoi... Et il n'y avait aucune raison à ce qu'il ne vienne pas, lui aussi, chercher sa part dans la Ville Morte.

Le voyage commença un samedi matin, à la pointe du jour. Tout le monde embarqua dans la voiture de Fredo et la petite équipe prit la direction de la rivière.

Il ne manquait que Bella. D'ailleurs, depuis deux ans, Bella ne participait plus aux expéditions dans la Ville Morte, depuis que s'était déclarée en elle cette véritable passion pour l'eau.

« Pour l'eau et pour la douche », selon l'expression de Rubi. Car, en fait, Bella était bien une passionnée de la douche. Eddie avait eu tout le temps de l'observer. Toutes les deux heures, environ, elle passait dans les toilettes et hop, on entendait couler l'eau dans le petit réduit où elle s'enfermait.

Et c'était bien ce qui l'intriguait. Qu'est-ce qu'elle pouvait bien fabriquer là-dedans, bon sang ? Sans arrêt, la nuit, le jour, et toutes les deux heures !

Une maniaque, une folle... Ou alors ?... Ou alors rien, car personne ne s'en préoccupait. On acceptait son « vice » comme pour l'autre dingue qui ne cessait de se faire posséder par le grand Noir en plastique. C'était comme ça. Et puis après ?

— On fera tout d'abord une halte à la villa, avait expliqué Fredo à Eddie.

Mais dans sa bouche le mot villa avait une

résonance trop pompeuse pour qu'Eddie n'en vienne pas à flairer la plaisanterie. En vérité, la « villa » n'était autre qu'un petit cabanon, fait de tôles ondulées et de planches mal ajustées. Mais c'était là que le groupe cachait ses outils de prospection : des haches, des pioches, des pelles, des cordes...

Il fallait en effet éviter de donner prise à la curiosité naturelle des gens... et le mieux était encore de laisser dans la cabane tout le matériel qui leur servait à explorer les ruines.

Une fois équipés, Pistache prit la tête du groupe. On abandonna la rivière et on fila le long des coteaux s'élevant en pente douce, au milieu d'un brouillard qui ondulait, depuis la rivière, comme un gigantesque serpent.

Néanmoins, cette mauvaise visibilité n'empêcha pas Pistache de repérer l'entrée des souterrains.

La petite équipe fit une halte et Eddie regarda autour de lui. C'était sinistre, et il détestait cette solitude immense et vide qui le cernait de toute part. L'herbe était rare. On en trouvait encore un peu du côté de la rivière, mais au-delà tout était nu, aride et gris. Ce n'était qu'amas rocheux, qu'interminables étendues de poussière grise, épaisse, cendreuse, et truffée de mâchefer.

Les ronces poussaient autour des rochers masquant l'ouverture : une anfractuosité comme empêtrée dans un manteau de ronces et de lichens, et dont les parois intérieures étaient tapissées de mousse.

Eddie s'engagea à son tour et fila dans le boyau étroit. Bientôt, une autre galerie apparut et il fallut descendre entre les éboulis comme à l'intérieur d'un gouffre.

Le cœur battant, Eddie attendait avec anxiété de voir apparaître les premiers vestiges de la vieille cité. Il lui semblait renouer un peu avec un passé inconnu qui l'attirait, sans trop savoir ni pourquoi ni comment.

Des gens avaient vécu dans cette ville, des gens qui avaient aimé et souffert, qui avaient connu toutes les choses de la vie. Et pour eux la vie s'était arrêtée un jour, brusquement, comme on arrête une horloge en coinçant le balancier.

Les gens étaient morts, par milliers, dans les rues, chez eux, ou ailleurs, et sans rien comprendre à ce qui leur arrivait. Du moins se l'imaginait-il. Mais, de toute façon, le passé était là, sous ses pieds, enfoui dans la mort, la solitude, le silence, un passé que le temps avait, sur les pierres taraudées, peuplé de mousse et de poussière rouge.

Il fallut encore se frayer un chemin dans les ronces accumulées et puis, tout à coup, dans l'éclairage des lampes, la Ville Morte apparut à Eddie.

Avec des ruines massives monolithiques, des vestiges de rues envahies de décombres, des souvenirs de véhicules que l'on devinait enfouis sous les mousses et la poussière.

Métal tordu... Pierre éventrée... Lézardes... Eboulements... Le spectacle était à la fois grandiose et émouvant.

A droite, Fredo indiqua les ruines d'un ancien hôpital, à gauche se dessinaient les gradins circulaires de ce qui avait été une arène.

On s'engagea dans une ancienne avenue... une très longue avenue... Elle descendait en pente douce, puis remontait après un carrefour nettement marqué. Les immeubles, de part et d'autre, étaient effondrés pour la plupart, mais quelques-uns, seulement privés de leur façade, laissaient apparaître des tranches d'appartements superposés.

Dans certains, il y avait encore des meubles au milieu des gravats, des lustres dérisoirement accrochés à des plafonds branlants et craquelés, des semblants d'escaliers, des lits disloqués, des cadres vides et des tentures déchirées rongées par la moisissure.

Mais ces lieux avaient déjà été visités par la petite équipe et Fredo conseillait de ne pas trop s'y attarder.

Pourtant, quelque chose intriguait Eddie : c'était cette lumière douce, un peu verdâtre, qui, par moments, éclairait l'intérieur des ruines, à tel point que, par endroits, on aurait pu circuler sans utiliser les lampes portatives.

Devant l'étonnement du jeune garçon, Fredo

expliqua qu'il s'agissait d'espèces mutantes. Ces curieuses vessies phosphorescentes appartenaient à une catégorie de champignons photogènes produisant une chimie très voisine de la luciférine (1).

La lumière froide filtrait à travers une membrane transparente, produisant ainsi ces curieuses lueurs spectrales qui avaient tant intrigué Eddie.

Il y avait une bonne dizaine de vessies collées aux murs d'un appartement éventré, mais, chose curieuse encore, de gros insectes ailés jaillissaient des coins d'ombre et se précipitaient, comme attirés par les poches lumineuses.

Ils étaient hideux, et le mot insecte n'est sûrement pas celui qui convient pour décrire ces créatures volantes au long corps pisciforme couvert d'écailles et dont les ailes nervurées ressemblaient à des nageoires.

Elles faisaient davantage penser à des poissons volants, encore que leur corps soit hérissé d'une multitude de pattes fines comme celles des araignées.

Et tous ces petits monstres fonçaient en masse, percutaient la gelée végétale et disparaissaient à l'intérieur, complètement liquéfiés.

---

(1) *Substance albuminoïde occidable.*

— Garde-toi bien d'y toucher, recommanda Pistache. Ces trucs-là, c'est pire qu'un acide. Mais c'est quand même pas ce qu'il y a de plus dangereux. Regarde !

Cette fois, un filet glacé parcourut l'échine du jeune garçon. Un rat-mutant venait d'apparaître d'entre les ruines, son museau canin retroussé et découvrant des dents énormes et pointues. L'animal devait bien mesurer un mètre cinquante de long.

Dérangé dans ses habitudes, il dardait sur les humains ses gros yeux rouges et pleins de colère.

— Vous ne m'aviez pas averti de ce danger, lança Eddie en s'emparant de son arme.

— Bah, tu t'y feras, lança Rubi. Nous, on commence à être habitués. Mais méfie-toi quand même, ces animaux-là sont très intelligents. Ne les laisse surtout pas approcher. Tire à la moindre alerte.

Déjà, Rubie avait sorti son pistolet, mais le rat-mutant, comme s'il devinait la portée de son geste, fit demi-tour et s'enfuit à travers les décombres.

La marche reprit le long de l'avenue, mais tout à fait au bout, on se heurta à un éboulis qui formait comme un grand mur incliné reliant le sol à la voûte rocheuse.

A gauche, et juste au ras de l'éboulis, il y avait les ruines d'un ancien magasin de meubles dont l'écriteau affaissé était encore lisible.

A droite, c'était les vestiges d'une ancienne banque avec, à l'angle, un feu de signalisation resté debout par le plus grand des hasards.

Tout à côté, les restes d'un panneau indiquaient : BESSAN.

Pistache s'était déjà faufilé entre les blocs indiquant le passage étroit qui permettait de s'enfoncer encore plus avant dans la Ville Morte. Mais, au moment de s'engager, Fredo indiqua à Eddie la grande statue de bronze qui gisait entre les pierres, fracassée, mutilée, et dont la tête avait roulé jusqu'aux abords de l'orifice. Le socle se trouvait un peu plus loin et Eddie put lire quelques mots gravés dans la pierre :

A PIERRE-PAUL R...

SA VILLE NAT...

La cassure ne permettait pas la lecture complète de l'inscription.

— Nous ne connaîtrons jamais le nom de ce grand homme, soupira Miria, ni même celui de cette ville. Dommage, vraiment dommage...

Mais elle avait l'air de s'en moquer comme de sa première liquette (si tant est qu'elle en eût jamais porté). Elle se glissa dans l'ouverture et Eddie la suivit, dans une progression lente et difficile.

A cet endroit, la lave avait tout détruit et la roche dure avait noyé toute cette partie de l'ancienne cité ; seul ce long boyau que l'on disait creusé par les rats-mutants permettait d'aller plus avant.

Mais la poussière rouge accumulée un peu partout et soulevée à chaque pas en un nuage pulvérulent s'infiltrait sous les vêtements, collait à la peau et rendait la marche extrêmement pénible.

Il y avait aussi les poches lumineuses collées à la paroi et vers lesquelles affluaient de temps à autre les horribles insectes au corps couvert d'écailles. Il fallait les chasser à coups de bâton tout en évitant le contact avec les pièges lumineux.

Enfin, la petite équipe parvint au bout de la galerie et Eddie fut surpris par le spectacle qui lui était offert à cet endroit.

Quelques immeubles paraissaient à peu près intacts, du moins en façade, comme d'ailleurs le grand bâtiment qui se dressait là avec ses trois grandes portes arrondies, ses sculptures et son horloge dressée au-dessus d'une plaque portant le mot « *Théâtre* ».

A droite, il y avait deux anciens grands magasins et c'était à l'intérieur de ceux-ci que Fredo et les autres concentraient leurs recherches depuis quelque temps.

En effet, on y trouvait pas mal d'objets sous les décombres, la plupart intacts et magnifiquement conservés.

Tandis que la petite équipe se mettait au travail, Eddie porta ses pas de l'autre côté du théâtre, anxieux, maintenant, de faire ses propres découvertes.

Il y avait un ancien café, avec le nom encore lisible sur la façade : *Le Glacier*. Un établissement tout en longueur, avec un grand trou dans le plafond.

Un rat-mutant se trouvait là, dans les décombres. Surpris par l'arrivée soudaine du jeune garçon, il lança un grognement rageur, puis sauta sur ses pattes, bondit et disparut dans le grand trou circulaire du plafond.

Eddie n'insista pas, remonta la chaussée et, à l'angle d'une rue, tout près du théâtre, avisa un magasin aux vitrines défoncées, dont le nom avait conservé toute sa netteté : « Librairie du Théâtre ».

Eddie s'approcha.

Quelque chose vibrait en lui, tout à coup, quelque chose d'inexplicable. Une attirance dont il ne pouvait se défendre et qui l'obligeait à dégager l'entrée obstruée par les gravats et la poussière rouge.

Le cœur battant, il pénétra dans le local et regarda autour de lui. Sur des rayons, bien alignés, des livres... des livres... des livres... Il semblait y en avoir des centaines... des milliers...

Par endroits, certains sont dans un piteux état et beaucoup d'autres encore ont été dévorés par les rats, à en juger par les fragments épars qui jonchent le sol.

Mais le miracle s'est produit, et le miracle, pour Eddie, ce sont les livres intacts qui ont résisté aux catastrophes, au temps, aux rongeurs. Désormais, le passé est là, devant lui, autour de lui, dans ces pages jaunies, messagères d'une époque lointaine et combien mystérieuse.

Eddie se sent gagné par un tremblement nerveux. Il avance la main, sort quelques livres d'une étagère, puis fouille dans le tas avec une passion dévorante.

Montaigne... Pascal... Rousseau... Faulkner... Zola... Balzac... Brontë... Molière...

Des noms imprimés... Des noms d'auteurs...

Voltaire... Villon... Verlaine... Pagnol... Montherlant... Camus... Platon...

Des titres aussi...

Wuthering Heights... L'Assommoir... Guerre et Paix... La Femme de trente ans... L'homme invisible... La Raison pure... Le Timée...

Des livres d'art : Peinture... Sculpture... Mosaïque... Architecture... Musique...

Des revues... des magazines... Photos... Articles... Chroniques... Comptes rendus... Des journaux : *L'Humanité... L'Aurore... Le Monde... Midi-Libre... La Dépêche du Midi... L'Express...*

Oui, le miracle est là, dans ce trésor inestimable que représentent toutes ces pages.

Dans sa fièvre, il rafle tout ce qu'il peut et,

tirant son sac derrière lui, il sort pour appeler les autres.

Mais enfin, comment se fait-il que personne n'ait encore...

Il ne va pas jusqu'au bout de sa pensée, car derrière lui se tient le gros rat qu'il a aperçu un instant plus tôt dans l'ancien café.

La monstrueuse créature, dressée sur ses pattes fines, darde vers lui son museau canin. On la devine prête à l'attaque. Et c'est bien ce qui se passe alors qu'Eddie, lâchant son sac, plonge la main à sa ceinture.

Le rat-mutant bondit et il l'évite de justesse en plongeant sur le côté. Il roule dans la poussière au moment où le rongeur se dresse sur ses pattes de derrière, la gueule ouverte.

Dans une fraction de seconde, il réussit à s'emparer de son arme. Deux balles claquent et le rat-mutant, touché en plein cœur, s'écroule d'une masse, sa longue queue fouettant le sol dans un ultime sursaut.

Un bruit de galopade retentit alors qu'Eddie se redressait. Suivi des autres, Fredo arrivait, son pistolet à la main.

— Ce n'est rien, lança Eddie, il a voulu se jeter sur moi, mais je l'ai eu.

— Qu'est-ce que tu fabriquais ? demanda Fredo. Où étais-tu ?

Fièrement, Eddie montra le sac bourré de livres.

— Regarde ce que j'ai trouvé. Et il y en a des tas, là-dedans.

— Oui, et alors ?

— Quoi, et alors ? Mais ce sont des livres...

— On le voit bien. Mais tu sais, nous, les livres... Pourquoi, ça t'intéresse, toi ?

— Mais toutes les choses de la vie sont là-dedans. C'est notre histoire... toute notre ancienne culture... tout ce que les hommes ont pensé, dit et fait depuis des siècles et des siècles. C'est notre passé...

— Ah, il est joli, le passé, soupira Pistache avec dégoût. Regarde où il nous a menés, ton passé...

— Non, non, il y a sûrement autre chose. Mais nous ne comprendrons jamais si nous ne savons pas.

— Et puis après ? Qu'est-ce que ça changera à notre vie ? coupa Rubi.

— La connaissance du passé peut nous aider à forger notre avenir.

Le « curé » leva la main.

— *En ces jours-là, les hommes chercheront la mort et ils ne la trouveront pas ; ils désireront mourir et la mort fuira loin d'eux.*

— Qu'est-ce que tu racontes ? demanda Eddie, les sourcils froncés.

— C'est un verset de la Bible, répondit le « curé ». Cela veut dire qu'il n'y aura pas pour nous de mort plus atroce que celle que nous vivrons jusqu'à la fin des jours... Si fin il doit y avoir. Nous sommes damnés, ne l'oublie pas ! Foutus, quoi !

— Vous refusez l'espoir, c'est bien cela ?

Fredo secoua les épaules.

— Ça va, arrêtez, grogna-t-il. Ça mène à rien, ces conneries. Si Eddie veut emporter les bouquins, qu'il le fasse. Allez, les gars, tout le monde au boulot. Faut terminer le chargement avant la tombée de la nuit.

CHAPITRE IX

Les jours passèrent... Et puis les semaines...

Le printemps arrivait à grands pas et déjà le soleil perçait les brumes à l'approche de midi. Une soleil encore pâle, mais tellement réconfortant... Un soleil pourtant qui n'entrait jamais dans les anciennes caves occupées par Fredo et sa petite équipe.

Alors la lumière brillait du matin au soir et la lumière brillait encore dans la chambre d'Eddie lorsque Adée entra ce matin-là.

Eddie dormait. Dormait au milieu de ses livres. Vivait au milieu de ses livres... Il y en avait partout, sur le sol, sur la commode branlante, sur des étagères hâtivement fabriquées, sur les chaises, et même sur le lit.

Des livres, Adée n'en avait jamais autant vu de sa vie. Elle haussa les épaules, en écarta quelques-uns du pied puis secoua le jeune garçon.

Elle attendit que ce dernier eût repris conscience pour lui annoncer la nouvelle.

— Y a du soleil, dehors. Dépêche-toi, Eddie, on a décidé de faire une balade.

Elle portait un tee-shirt bleu pâle avec, au milieu de la poitrine, une grande fleur de lis blanche entourée de couronnes royales. Ses seins lourds plombaient sous le tissu et, lorsqu'elle se pencha une deuxième fois, Eddie pointa son regard dans le large décolleté. Un regard qui n'échappa pas à Adée.

— Tiens, murmura-t-elle avec un sourire, tu t'intéresses à mes seins, maintenant ?

Il se leva, haussa les épaules.

— Oh, simple curiosité. Je m'étonne qu'une femme ne porte pas de soutien-gorge. Ça finira par te jouer un vilain tour, Adée. Dans quelques années d'ici, tu auras les seins sur le ventre, et ce ne sera pas jojo.

— L'avenir, je m'en fous, c'est le présent qui compte. Et pour ce qui est du présent, je peux te dire que ça tient. Tu veux voir ?

Délibérément, elle prit la main d'Eddie et la glissa sous son tee-shirt. C'était bon et doux, et Eddie sentit les pointes se durcir au contact de sa main... qui allait et venait.

— Alors ?

Eddie retira sa main tandis qu'elle enchaînait avec une grimace :

— Je suis pourtant mieux foutue que Miria. T'as bien fait l'amour avec Miria...

— Je croyais que tu te contentais de ton anneau de cuivre. On dit que tu as déjà « fait l'amour » avec tout le quartier, ajouta-t-il en riant.

— Peut-être bien, mais j'ai envie de changer un peu. J'ai besoin de réel, tu comprends ?

— Et le réel, c'est moi.

— Pourquoi ? Je ne te plais pas ? Ah oui, je vois, tu préférerais Celia, hein ? Si, si, ne rigole pas, tout le monde a bien vu que tu en pinçais pour elle. T'arrêtes pas de la reluquer à chaque fois qu'elle vient. D'ailleurs, je me demande bien ce que tu trouves à cette fille. C'est une neurasthénique. Et elle a de ces idées, bon Dieu !

— Tu l'as sondée, hein ? demanda Eddie, le visage serré.

Adée inclina la tête.

— Ouais... Ces trucs-là, ça m'amuse.

— Tu devrais avoir honte.

— Quoi ? De la morale ?

Eddie secoua la tête et d'un geste large désigna les piles de livres autour de lui.

— La morale... La morale..., dit-il.

Mais les mots lui manquaient pour exprimer tout ce qu'il ressentait au plus profond de lui-même. Puis son regard revint sur Adée.

— Et moi aussi, n'est-ce pas ? murmura-t-il tout à coup, tu as fouillé dans mon esprit ?

Adée ne répondit pas. Ses grands yeux verts restèrent un instant fixés dans ceux du jeune garçon, puis elle prit une serviette qui traînait sur une chaise et lui lança :

— N'oublie surtout pas de prendre ta douche. Mais dépêche-toi, on t'attend.

⁂

La mer
Qu'on voit danser le long des golfes clairs
A des reflets d'argent
La mer...
Des reflets changeants
Sous la pluie...
La mer
Au ciel d'été confond ses blancs moutons
Avec les anges si purs
La mer
Bergère d'azur infinie...

Le vieux disque tournait sur le plateau. Un

de ces disques qu'Eddie avait trouvé au cours de ses nombreuses fouilles dans la Ville Morte... Sur l'étiquette, le nom d'un inconnu : Charles Trénet.

Pistache arrêta le disque comme Eddie entrait dans la salle commune.

— C'est con, ce truc-là, lança-t-il, j'y comprends rien. Qu'est-ce que ça veut dire, ça : *La mer a des reflets d'argent sous la pluie ?*

— C'est une image, soupira Eddie. Pour la comprendre, il faudrait voir la mer et aussi voir tomber la pluie sur la mer. Je suis certain que ça a dû être comme ça, autrefois...

— Et ça t'intéresse, toi ?

Brusquement, la colère empourpra le visage d'Eddie. Une vague contre laquelle il ne pouvait rien lui montait de l'épigastre à la gorge.

— J'en ai assez, cria-t-il, assez de ce monde cruel, odieux, absurde.

Il avala une gorgée de salive, cherchant les mots.

— Nos ancêtres ont commis des erreurs, c'est un fait, du moins certains en ont commis. Ceux-là ont entraîné les autres dans la plus épouvantable des catastrophes. Mais il y a eu autre chose, et c'est cet autre chose qui nous manque. Parce qu'on a tué, assassiné, détruit, saccagé tout ce qu'il y avait de plus beau et de plus noble. C'est ce qu'on appelle la morale et l'éthique. Et aussi la poésie. Non, non, ne riez pas, il ne peut exister aucune poésie dans un cœur vide. Mais moi, je ressens toutes ces choses, peut-être parce que je suis un homme sensible, peut-être parce que...

Il haussa les épaules.

— Mais la sensibilité n'est plus de ce monde, hélas ! et vous ne savez pas ce que c'est. Parce que vous n'avez rien dans le cœur... rien dans la tête. Rien... rien... et rien !

— Tu crois pas que ce sont tes bouquins qui te dérangent la cervelle, dis ? coupa Rubi le visage serré.

Mais Miria intervint avec exaspération.

— Arrêtez, bon Dieu, vous allez gâcher notre sortie. On avait fait tellement de projets...

Elle s'adressa directement à Eddie.

— Vrai, on avait justement décidé d'aller la voir, la mer. Tu vois, on a aussi notre petit côté poétique.

— Elle a raison, renchérit Fredo. C'est une idée à elle. Nous allons voir la mer, et nous allons même la voir de très près.

Eddie eut un froncement de sourcils.

— Qu'avez-vous l'intention de faire ?

— Pratiquer un passage. On cisaillera les barbelés s'il le faut, mais on ira sur la plage.

— C'est interdit, voyons... Vous...

— T'occupe pas de ça. Allez, en route, ça nous changera les idées.

*
**

Ce n'était pas très loin, environ treize à quatorze kilomètres par une route étroite, défoncée, serpentant à travers une plaine sombre, piquetée de temps à autre par quelques maigres îlots de verdure, où les squelettes noirs d'arbres calcinés se tordaient à perte de vue.

Autrefois, il y avait eu des vignobles à cet endroit. A présent, les vignobles étaient situés plus au nord, dans des zones ayant échappé au désastre.

Mais le vin qu'on en obtenait, malgré les incessantes recherches effectuées par les Machines Pensantes et les hommes eux-mêmes, restait impropre à la consommation. Vignes mortes, dénaturées... Terres polluées... Pollution... Pollution...

Alors on se contentait de vin synthétique. Mais la nature se vengeait, ironie du sort curieusement mise en évidence par les innombrables panneaux qui subsistaient encore le long de cette route et de tant d'autres de la région ; panneaux à demi fracassés pour la plupart, mais révélant sans trop de peine leurs troublantes inscriptions : « *Le vin, c'est la santé. Buvez du vin* ». « *Le vin, boisson hygiénique* ». « *Le vin est un aliment. Buvez du vin* ».

Et puis il y eut une longue descente au terme du voyage, des amoncellements de gravats, de ruines, de vieilles briques comme si, autrefois, une agglomération avait existé à cet endroit. Et enfin le mur de béton, tout au bout... haut de quatre mètres et hérissé de barbelés.

Et le silence... Un silence lourd seulement troué de temps à autre par un *drôle de bruit*.

C'est du moins la pensée qui vint à l'esprit d'Eddie, parce que le son était intraduisible dans sa pensée.

Pourtant, c'était le bruit de la mer, le bruit des vagues roulant sur la plage... Plus loin, plus loin, de l'autre côté du mur.

La mer
Au ciel d'été confond ses blancs moutons
Avec les anges si purs

— Un peu de patience, fit Miria, le passage se trouve plus loin. On me l'a indiqué. Suivez-moi.

Il fallut abandonner la voiture et continuer le chemin à pied. On longea le mur de béton pendant près d'un kilomètre jusqu'à ce qu'enfin apparaisse la trouée dont avait parlé Miria. A partir de là, en effet, le mur perdait sa continuité. Cela devenait une sorte de barrière entrecoupée d'épais réseaux de barbelés tendus sur de gros pieux de fer.

Brusquement, tous s'arrêtèrent, comme fascinés par l'étrange spectacle qui se révélait à eux pour la première fois.

Il y avait du sable, derrière les barbelés, une large étendue de sable envahie de débris de toute sorte. Et puis la mer... immense... infinie, d'un gris bleu comme le ciel. Huileuse, avec ses vagues lourdes qui venaient se briser sur la plage, sans la moindre frange d'écume.

La mer
Au ciel d'été confond ses blancs moutons...

Reprenant ses esprits, Fredo s'activa le premier et donna l'exemple. Il s'arma d'une pince coupante et se mit à cisailler les barbelés.

Immédiatement, tout le monde se mit à l'ouvrage, les fils sectionnés furent enlevés et l'on put ainsi se faufiler à travers le barrage.

— Ce n'est pas très prudent, ce que nous faisons là..., remarqua Eddie. C'est même dangereux.

Mais personne ne lui répondit. Ils étaient là, maintenant, sur la plage, foulant le sable de leurs pieds déchaussés. Il faisait bon et, par moments, le soleil apparaissait dans l'échancrure des brumes.

Les vagues lourdes et molles roulaient et mouraient sur le sable, un peu plus loin, et c'était le seul bruit qu'on entendait. Le ciel était vide... Même pas le cri d'un oiseau... Rien !

Voyez ces oiseaux blancs et ces maisons [rouillées...

Ni voiles ni fumée... Plus de bateau filant sur les eaux... Plus rien.

Une minute encore, chacun resta perdu dans ses pensées et puis, brusquement, Miria se déshabilla. Son pantalon, son tee-shirt volèrent sur le sable.

Elle est nue. Un éclat de rire et la voilà qui court comme une folle.

Elle entre dans l'eau malgré l'appel impératif de Fredo. S'y jette et disparaît un instant à travers une vague. Ressurgit, replonge, réapparaît en tournant sur elle-même.

— Elle est folle, gronda Eddie. Pourquoi fait-elle ça, bon sang ?

Il se souvenait de ses lectures. Autrefois, cela avait commencé par de violentes réactions de l'organisme... Herpès, eczémas, inflammations de l'épiderme par staphylocoques... Après la baignade ou par le simple contact du sable... Pollution... Pollution.

Et puis, ensuite, des maladies comme la poliomyélite... comme...

Il avait lu ça quelque part, dans un bouquin, et toutes ces choses l'effrayaient tout à coup.

Mais peut-être que depuis le temps...

Il chassa ces mauvaises pensées en voyant Miria qui sortait de l'eau... heureuse et riant aux éclats... L'eau faisait comme des perles sur son corps mince et délié.

— C'était bon, cria-t-elle en se rhabillant. Ils avaient quand même de la veine, nos ancêtres, de pouvoir se baigner comme ça.

Les derniers mots se brouillèrent dans sa gorge car, à cet instant, il y eut un remous dans le sable derrière elle.

Quelque chose apparut, tout à coup, qui ressemblait à une pieuvre énorme. Ses tentacules jaillirent dans un scintillement de couleurs vives et chaudes. C'était une pieuvre des sables.

— Attention ! cria Rubi.

Miria a bondi, son pantalon à la main, alors que la pieuvre minérale, dressée sur une girandole de tentacules raides et massifs, prend l'aspect d'une fabuleuse bête héraldique. Un bec crochu et béant, des yeux comme des diamants étincelants.

Un tentacule fouette l'air dans un craquement cristallin ; Miria l'évite de justesse, alors que le pistolet de Fredo entre en action. Les projectiles fauchent la pieuvre mutante. Sous la douleur, elle culbute, abandonne la chasse et, brusquement, bat en retraite en se tordant dans tous les sens.

Un bruissement de sable, un nuage de fines particules, et la voilà qui s'enfonce pour disparaître complètement.

— Merci, souffla Miria encore sous le coup de l'émotion. Ah, bon Dieu, ce que j'ai eu chaud ! Heureusement que ces bestioles-là n'existaient pas autrefois, sinon nos ancêtres ne se seraient jamais baignés. Ah là là !

Tous se mirent à rire et, oubliant l'incident, reprirent le chemin du retour.

— Oui, dit Fredo au bout d'un instant, il a dû y avoir beaucoup de monde, autrefois, sur cette plage, pendant la belle saison.

— Beaucoup, en effet, approuva Eddie. Cet endroit était d'ailleurs une station balnéaire.

— Tu as lu ça dans tes bouquins ?

— Bien sûr. La station dont il ne reste que des ruines, au bout de la route, là-bas, s'appelait Valras, Valras-Plage. Et je sais comment s'appelait le grand homme dont nous avons vu la statue dans la Ville Morte. J'ai lu son nom : Pierre-Paul Riquet.

Et il ajouta, très sûr de lui :

— Quant à la Ville Morte, elle avait un nom, elle aussi.

— Ah... et lequel ?

— Béziers.

CHAPITRE X

Les livres. Pour Adée (et c'était l'impression qu'elle éprouvait lorsqu'elle entrait dans la chambre d'Eddie), Eddie en avait lu plus qu'elle n'aurait jamais imaginé qu'on eût pu en écrire.

Mais il y avait aussi les cassettes et les divers enregistrements sonores que le jeune garçon avait ramenés de l'ancien Béziers. Des documents sonores parfaitement conservés et qui, à leur tour, permettaient d'éclairer de quelques lueurs un passé volontairement jeté dans les ténèbres de l'oubli.

Eddie poursuivait ses recherches, et chaque révélation ajoutait toujours quelque chose à ce qui fermentait en lui.

La civilisation actuelle stagnait en un point

zéro. Il n'y avait plus de création, plus aucun élan de perfectionnement ; les Machines Pensantes ne « pensaient » uniquement qu'en termes de production et de rentabilité. Le reste n'existait plus... Le moteur était brisé. Comme si, à la fin de sa course, l'humanité continuait... en chute libre !

Et pourtant, cela n'avait pas été toujours comme ça. La créativité avait commencé bien avant la découverte du feu, avec les premiers silex taillés et façonnés, il y a deux millions d'années. Et la Pensée avait aussi sa part de créativité : les prêtres de Sumer, Mô, Horus et Isis, Michra, Zarathoustra, le Christ et Bouddha.

Partout s'imposait la même volonté : construire et créer. A l'image de Dieu, à l'image de l'Univers...

Créer par la Force, la Jeunesse et l'Enfantement. Créer et se recréer dans la chair et l'esprit, mais dans un But commun, Universel. Et en dépit de la Vie Menacée, en dépit du Déluge, de la confusion de Babel et de l'Eve fautive.

Créer et construire comme l'enseignaient Elohim, Moïse et les Prophètes ; depuis la création du Nombre et de l'Ecriture ; avec la pensée d'un Lao-Tseu, d'un Anaxagore, d'un Aristote, d'un Pythagore, d'un Platon ; l'héritage d'un Galilée, d'un Newton, d'un Pascal et d'un Rousseau...

Et sans qu'il soit toujours besoin de rappeler les tristes exemples d'un Zeus justicier, d'une Pandore coupable et d'un Job en révolte !

Malheureusement, quelque chose s'était produit, un quelque chose pire que le Déluge ou l'effondrement de Mû. Une cassure dans la volonté, dans la pensée de l'homme, une cassure et un renoncement qui avaient précipité sa perte ; un abandon total qui avait fait du progrès la cause même du Grand Bouleversement.

Mais était-ce à ce point définitif ? Ne restait-il pas encore un espoir à l'humanité ?

Quand la conversation arriva sur le sujet, tout le monde avait repris ses occupations habituelles. On triait les objets ramenés de la Ville Morte, on les dépoussiérait, on les nettoyait, on les étiquetait.

C'est Mhax, le grand Mhax à barbe rousse, qui ouvrit le débat. Il était arrivé comme ça, à l'improviste, et toujours très satisfait de la surprise qu'il provoquait à chacune de ses apparitions. La police, pour l'instant, ne semblait pas l'inquiéter outre mesure, et c'est bien ce qui lui permettait de renouer avec les vieilles habitudes.

Lui aussi avait été impressionné par les piles de bouquins qu'Eddie avait ramenés de la Ville Morte. Intrigué aussi par l'obstination que mettait Eddie à se nourrir, comme il disait, « de mots et de phrases ».

— Je voudrais lui poser une question, dit-il en le désignant.

— Et je suppose que tu voudrais aussi avoir la réponse à ta question, renvoya Pistache toujours pince-sans-rire.

— Pose toujours, mon gros.

— Je voudrais savoir ce qui s'est passé autrefois. On dit tellement de choses. Il doit savoir, lui, avec tous ses bouquins...

Eddie releva la tête et regarda Mhax.

— Oui, maintenant, je sais, dit-il.

Il prit tout son temps, se leva et s'empara d'un sac à l'intérieur duquel se trouvaient un tas d'objets qu'il avait ramenés de l'ancien Béziers. Il en sortit une boîte en plastique de forme cylindrique portant encore les traces d'une étiquette commerciale.

— Eh bien, voilà, dit-il, ça a commencé avec des trucs comme ça. Oui, des détergents, des détersifs, des décapants, des désodorisants fabriqués à base de résidus de pétrole et d'autres produits chimiques extrêmement nocifs. Et puis les pesticides, les aérosols de toute nature. Tous ces produits, plus ou moins directement entraînés par les eaux, après usage, ont commencé par polluer les rivières et ensuite les mers et les océans. Les poissons et les coquillages ont été les premiers contaminés alors que le plancton marin, qui est le principal moteur du recyclage de l'oxygène atmosphérique, était déjà détruit à trente pour cent (1). Mais l'alimentation elle-même subissait aussi l'apport d'une chimie criminelle issue d'une science folle, aberrante, exploitant sans réserve des produits à base d'hormones synthétiques, des colorants et des agents de textures extrêmement nocifs pour l'organisme, mais que l'on disait toutefois nécessaires à la bonne présentation et à la conservation de ces aliments. Et les boissons n'y échappaient pas non plus. Si j'en crois ce que j'ai lu, c'est ce que les gens de l'époque appelaient une société de consommation.

Le silence s'était fait dans la grande pièce. Tous s'étaient approchés, écoutant avec intérêt les paroles du jeune garçon.

— Une société de consommation, fit Miria, tu veux dire une société capitaliste ?

Eddie approuva de la tête mais s'empressa d'ajouter :

— Les sociétés capitalistes ont eu, en effet, une très grande part de responsabilité, mais les autres aussi. Car, parallèlement à la contamination alimentaire, il y avait une pollution d'ordre industriel ou militaire. Je veux parler, en premier lieu, des centres nucléaires, des usines atomiques, un domaine dans lequel tou-

---

(1) *Ces propos sont inspirés du rapport du commandant Cousteau.*

tes les nations étaient compétitives. Toutes ! Et cela malgré les pétitions, les avertissements et les mises en garde formulés par des gens qui avaient, en effet, conscience de l'immense danger qui menaçait l'humanité. Tous ces déchets radioactifs entraient évidemment pour une très large part dans la pollution mondiale. Il y avait, en outre, les industries de guerre fabriquant des armes bactériologiques capables d'infecter des populations entières et qui, plus tard, furent la cause de graves épidémies, accidentellement déclenchées en divers points du globe. Et puis enfin les bombes nucléaires dont les essais, à droite et à gauche, augmentèrent considérablement le taux de la radioactivité ambiante.

— Et cela a débuté quand ? demanda Bella.

— Après la deuxième guerre mondiale. Mais c'est surtout vers 1960 que les choses ont commencé à se gâter. Ce sont les « années folles », une époque qui marque effectivement le déclin de l'ancienne humanité. Et cela ne fit que s'aggraver jusqu'au tout début du XXIe siècle. Il n'y a d'ailleurs qu'à les lire les journaux de l'époque pour s'en faire une idée. Des accidents surviennent un peu partout, avec des usines de produits chimiques hautement toxiques, dont les émanations frappent diverses régions, comme à Seveso, en Italie. Le monde entier devient la proie de ces horreurs qui frappent l'homme dans sa nature même. Dès lors, tout se dégrade et c'est le départ des nombreuses mutations que nous connaissons de nos jours, et contre lesquelles il nous est, hélas, impossible de lutter.

« Bien sûr, l'organisme s'adapte, résiste aux divers agents de contamination. Mais il est un seuil de tolérance à ne pas dépasser et ce seuil ne l'a malheureusement été que trop. La nourriture, l'air que l'on respirait, les radiations, les émanations de toutes natures, avaient déjà provoqué d'importants ravages parmi les espèces vivantes quand s'est produite la Grande Catastrophe.

— A quelle époque ? coupa Rubi.

— En l'an 2002 exactement. Mais, déjà, de nombreuses épidémies avaient ravagé le monde.

Le regard perdu dans le vague, Eddie semblait en proie à un rêve lointain.

Il parlait de l'épouvantable séisme qui, vers la fin du XXe siècle, avait en partie détruit le nord de l'Angleterre.

Des produits toxiques provenant d'une usine chimique s'étaient répandus dans l'atmosphère et, propagés par les vents, avaient infecté une grande partie de l'Europe. Des millions d'êtres humains avaient péri ainsi, sans qu'il soit possible de leur apporter le moindre secours.

La Russie soviétique, très gravement atteinte, avait à son tour décrété l'état d'urgence à l'intérieur de ses frontières, mobilisant toutes ses forces pour lutter contre le fléau.

Et cela avait été le départ de ce que l'histoire actuelle appelait le Grand Bouleversement.

A cette époque, en effet, la tension politique entre l'U.R.S.S. et la Chine populaire était à ses dernières limites. On prévoyait en effet une guerre entre les deux grandes puissances et celle-ci se déclencha par la brutale intervention de la Chine dont le nouveau dictateur ne rêvait que d'hégémonie mondiale.

Profitant du désordre et de la panique qui régnaient chez leurs voisins, les troupes chinoises envahirent les Etats de l'U.R.S.S. Affolés, pris au piège, les militaires soviétiques firent usage de leurs armes atomiques. Mais la réplique chinoise fut encore plus sévère, à tel point que plusieurs villes de la Russie furent anéanties en quelques heures.

— Je suis certaine que Mao Tsé-toung n'aurait jamais fait une chose pareille, s'indigna Miria tout à coup.

— Tu vas te taire, oui ? lui lança Fredo. Laisse-le continuer.

Et l'on arrivait à l'entrée en scène des Américains. Non point dans un esprit de protection, car ils se moquaient bien des Russes, mais pour abattre le géant chinois qui menaçait un équilibre mondial qu'ils essayaient de maintenir en leur faveur depuis la dernière guerre mondiale. Quelques-unes de leurs fusées nucléaires frappèrent le territoire chinois en signe d'intimidation. La Chine hésita, demanda une trêve et menaça l'Amérique de destruction totale si elle n'arrêtait pas immédiatement les bombardements. En fait, et nul ne l'ignorait, elle possédait en orbite des bombes « volantes » pouvant dégager une énergie de plusieurs milliers de mégatonnes. Et ce fut le drame dans les quarante-huit heures. Les Américains avaient eu le temps d'étudier le moyen de paralyser les effets de ces armes épouvantables qu'ils redoutaient comme une épée de Damoclès. Mais, hélas, les ondes utilisées, mal dirigées ou insuffisamment dosées (l'histoire n'apportait rien de précis), ne firent que rompre les trajectoires et les bombes volantes, arrachées à leur rail orbital, tombèrent et s'abattirent au pôle nord, provoquant de ce fait la catastrophe la plus épouvantable que le monde ait connue depuis le Déluge. La calotte polaire craqua, une brutale fonte des glaces éleva le niveau des océans qui envahirent et noyèrent plusieurs contrées du globe. Un léger basculement de l'axe provoqua dans l'écorce terrestre des cassures qui libérèrent des torrents de lave. Des îles disparurent, des montagnes furent renversées, des fissures géantes zébrèrent les continents en folie. C'était l'Apocalypse annoncée par les Prophètes, la fin d'une humanité, d'une civilisation que l'histoire elle-même rendait coupable. Hautement coupable.

Eddie prit un temps. Tous les visages étaient

tendus vers lui. Dans les regards anxieux passait le souffle de l'horreur.

Il dit :

— Les lois du nombre et celles du hasard veulent que rien ne soit jamais détruit en son entier. Certaines régions furent plus ou moins épargnées, et les survivants se regroupèrent de-ci de-là, pour refaire l'humanité.

Il eut un pâle sourire.

— En réalité, nous n'avons rien refait, rien rebâti. D'autres seigneurs ont succédé aux seigneurs d'autrefois, et ces seigneurs n'ont fait que reprendre à leur compte toutes les anciennes institutions. Ils les ont seulement réduites, codifiées à la mesure d'un conditionnement qui ne nous permet plus de discerner au-delà des règles imposées.

— Hé, hé, doucement, intervint Pistache en levant la main. Tu parles un drôle de langage depuis que t'as le nez fourré dans tes bouquins. J'ai pas compris, moi... Qu'est-ce que tu veux dire en parlant de conditionnement ?

— Je dis qu'on nous « fabrique » comme des pantins. Qu'on ne veut plus que nous soyons capables de penser par nous-mêmes.

— C'était pas comme ça, avant ?

Eddie prit la cigarette que lui tendait Fredo. Il l'alluma.

— Vous m'avez demandé de vous expliquer le Grand Bouleversement. Je l'ai fait. Je vous ai parlé des causes physiques qui ont provoqué l'anéantissement des quatre cinquièmes de l'ancienne humanité. Et je vous ai également expliqué les raisons qui ont amené sur notre monde ces épouvantables mutations. Mais, à la base de tout cela, c'est le plan social qui est à considérer. Je vais encore essayer de vous répondre, mais avant d'aller plus loin, je crois qu'il faut surtout considérer la période critique dont je vous parlais au sujet de la pollution, c'est-à-dire cette période folle du XXe siècle qui démarre vers 1960 et où s'annonce déjà l'Apocalypse finale.

Eddie secoua la tête.

— Il m'a fallu beaucoup de recherches pour arriver à me faire une idée. Mais je crois avoir trouvé la signification de tout cela.

— Quelle est-elle ? demande Fredo.

— La décadence.

— La décadence ?

— Oui, la décadence, et principalement celle de l'Occident. Comme cela fut le cas, dans l'Antiquité, pour les civilisations égyptiennes, babyloniennes, macédoniennes et autres.

Il éluda devant les grimaces d'incompréhension qui se formaient autour de lui.

— La décadence signifie rupture de l'esprit social et culturel, abandon de l'esthétique au profit du vulgaire, et renoncement progressif, ou brutal peu importe, à la morale et à l'éthique qui, dans toute civilisation, sont indispensables à la survie de l'individu et de la société. Avec la décadence apparaît la multiplication de petites valeurs rapidement élevées au niveau du parfait, les sous-arts se substituent au prestigieux et le facile devient le courant dans lequel flottent les esprits engourdis par l'extravagance et le superficiel.

« Mais je pense aussi que l'on n'a rien fait pour sauver ce qui était encore sauvable. On a, au contraire, précipité les choses par un relâchement progressif de la connaissance et de l'éducation. Parce que le facile et le superficiel ont toujours été d'excellentes sources de profit. Et c'est bien ce qui s'est passé. On a exploité jusqu'aux désirs les plus bas et les plus insensés, sans tenir compte de l'éthique et de la morale. On a vendu du poison dans des flacons dorés. Mais le poison n'était pas seulement dans le poulet aux hormones, il était aussi dans la musique électronique, les modes vulgaires, les films et les revues à scandale. Parce que, une fois entré dans les mœurs, le mauvais goût atteint le plus haut indice de rentabilité. Seulement, voilà, pour le faire entrer dans les mœurs, ce mauvais goût, il fallait en même temps réduire la connaissance et l'éducation des individus, leur enlever, en somme, toute possibilité de jugement et de réflexion. Et la seule chose à faire, dans ce cas, était de s'attaquer à l'instruction, autrement dit de fabriquer des cancres. Et le conditionnement commence malheureusement avec les cancres, parce que les cancres ne pensent pas.

Miria, encore elle, se dressa, toute rayonnante.

— Mais c'est le procès du capitalisme que tu fais là ! Dis-nous alors comment ça se passait dans les pays de l'Est.

Eddie la regarda.

— Avec les dictatures, le conditionnement devient de l'endoctrinement, et l'endoctrinement signifie aussi la destruction de la personnalité humaine. Comme cela s'est passé au XXe siècle sous Hitler, Staline et Mussolini. Fascisme de droite ou de gauche, qu'importe ! De tout temps, des hommes ont tenté de régner sur d'autres hommes par la force, l'oppression, les monopoles et la tyrannie. Je ne fais ni le procès du capitalisme ni celui du marxisme, car il me faudrait aussi faire celui de l'Eglise en un temps où elle avait le monopole de la connaissance et du savoir.

Il haussa les épaules.

— Je n'ai aucune formation politique, vous le savez tous, je m'en tiens seulement à ce que j'ai appris sur cette triste époque qui a précédé le Grand Bouleversement. Pour moi, les responsables, ce sont ceux qui ont détruit la condition humaine à une époque, justement, où l'on en avait le plus grand besoin et qui, par le profit, le racisme, la lutte des classes et des partis politiques, et surtout leur besoin d'hégémonie, ont entraîné l'humanité à sa perte.

Un hochement de tête.

— Pourtant, je suis certain qu'un redressement de la situation mondiale aurait pu être possible s'il y avait eu des hommes valables. Mais il n'en existait malheureusement aucun, et encore moins en 2002, lorsque survint la Catastrophe. Le navire a coulé, parce que le creux de la vague est resté le creux de la vague, et nous sommes les naufragés de ce navire.

— En somme, d'après toi, intervint le « curé », ceux qui nous gouvernent n'ont fait qu'aggraver les choses.

— Je vous ai parlé des seigneurs, ceux-là sont les pires qui aient jamais existé. Ils sont les maîtres tout-puissants de notre monde et entretiennent à leur seul profit une société privée de caractères dynamiques et évolutifs sans la moindre chance de finalité future ou de buts. Et cela leur a été tellement facile, avec la masse des autres survivants qui se sont regroupés après la Catastrophe. Quand une humanité renonce, et qu'elle accepte de subir, elle est prête à accepter n'importe quelle domination. Les hommes ont besoin de croire en quelque chose. On a tué Dieu... il fallait bien le remplacer. Alors on leur a donné les Machines Pensantes, et les Machines Pensantes les ont conditionnés comme de vulgaires robots. Conditionnés dans le travail, dans la politique, dans une instruction étroite et dirigée. La violence ? Bah, le mal était fait, vous savez... La fin du XXe siècle avait déjà connu, dans les écoles, le retrait des livres de morale et d'éducation civique. On n'enseignait plus le respect et c'était déjà la jungle. Vers l'an 2000, j'ai lu que les juges, ou du moins ceux qui avaient conservé leur dignité de juges, refusaient souvent de se prononcer sur un adolescent qui avait frappé un vieillard sans condamner en même temps les parents, le professeur et le ministre de l'Education Nationale. Et ces mêmes juges refusaient aussi de statuer sur le cas d'une femme accusée d'euthanasie sur le monstre qu'elle venait d'enfanter sans condamner en priorité les savants qui étaient à l'origine de ce drame.

« Aujourd'hui, la jungle continue dans le pire. Nous nous massacrons entre nous ; le vol, le pillage, le viol, la drogue et le crime sont à la base de notre société dans un pourcentage de soixante-dix pour cent. Ceux qui n'y participent pas se terrent et vivent dans la crainte et la terreur. On ne fait rien pour eux, car le gouvernement s'en fout. Il entretient au contraire toutes ces choses parce que le crime est source de profit et qu'éduquer les individus, dès leur jeune âge, équivaudrait à provoquer la réflexion. Et si les gens réfléchissaient, croyez bien que ces gens ne resteraient pas longtemps au pouvoir. »

Il soupira avec lassitude.

— Seulement, pour l'instant, ils possèdent tout : les Machines Pensantes, les industries lourdes, les centres pédagogiques et d'orientation professionnelle, et le droit de nous faire penser blanc quand on veut que ce soit blanc, ou rouge quand on veut que ce soit rouge !

Eddie se tut et le silence tomba. Un silence lourd, presque palpable.

Pour la première fois, dans la petite équipe de Fredo, *il s'était vraiment passé quelque chose.* Peut-être plus qu'il ne s'en serait passé pour eux en mille ans d'existence. Les cœurs cognaient durement et, dans la gelée plissée qu'ils portaient à l'intérieur de leur crâne, tourbillonnaient de drôles de pensées.

Un bruit, tout à coup, troua le silence. Un bruit de pas.

C'était Mhax, le grand Mhax, qui se dirigeait vers la sortie. Il n'avait rien dit. C'était le seul à ne pas avoir ouvert la bouche durant tout le débat.

Et pourtant, c'était lui qui avait posé la première question, lui qui avait tout déclenché.

Sur le pas de la porte, il se retourna. Il regarda longuement Eddie puis le désigna aux autres.

— C'est un type bien, lança-t-il simplement. Vraiment bien !

Sa voix était sincère et ne démentait pas son geste. Il sortit et le silence retomba.

Ce n'est que plus tard, dans la soirée, que le silence se dégela. Eddie vit arriver Fredo, un livre à la main. C'était un Rousseau.

— Dis, est-ce que je peux te l'emprunter, ce bouquin ?

C'était le premier à y toucher, et Eddie savait qu'il y en aurait d'autres. Celia, elle, s'empara du « Mythe de Sisyphe », d'Albert Camus.

Plus loin, Pistache était déjà en train de fureter dans une autre pile d'ouvrages.

Il se gratta le front, tout à coup, et regarda Eddie.

— Dans le fond, murmura-t-il, « *La mer qui a des reflets d'argent sous la pluie* », c'est pas si con que ça... Même qu'en y réfléchissant, je trouve ça très joli.

CHAPITRE XI

Quand tous les objets furent vendus, Fredo organisa une nouvelle expédition dans la Ville Morte.

Les grandes fêtes du printemps approchaient et il fallait à tout prix écouler les marchandises avant la fermeture des petits commerces qui en assuraient le recel, fermeture autant prudente qu'obligatoire, en raison du « vent de folie » qui allait souffler sur la ville.

On espérait et on redoutait à la fois ces fêtes païennes, et si l'espoir ne visait qu'un certain défoulement des esprits, la crainte et l'inquiétude s'ajoutaient à la libération des bas instincts qui, au hasard des jeux, des danses, et des folles mascarades, transformaient la cité en un lieu de débauche et de pire violence. On allait boire et tuer, manger et violer, danser et piller, sans que rien ne vienne gêner assassins et pillards.

« Il faut faire vite », avait dit Fredo en attaquant les souterrains de la Ville Morte. Mais, cette fois, les recherches furent dirigées vers un secteur de l'ancien Béziers qui n'avait pas encore été exploré.

C'est ainsi qu'à la grande joie d'Eddie, on découvrit les ruines de la bibliothèque municipale en un endroit qui portait encore le nom de *place Pierre-Semard*. Décidément, une heureuse journée !

Ils marchèrent lentement parmi les décombres, dans l'éclairage verdâtre des poches lumineuses, et il leur fallut dégager des ruines accumulées pour parvenir jusqu'à un amoncellement de livres et de brochures dont la plupart, encore, semblaient avoir été épargnés par le temps.

Et, cette fois, Eddie ne fut pas le seul à bourrer son sac. D'autres mains entassèrent aussi les précieuses lectures. Dans la fièvre et l'excitation.

Et l'on trouva encore d'autres cassettes, d'autres disques, dans les magasins du centre. Un nouvel apport culturel qu'Eddie tria et sélectionna de mémoire : du Bach, du Beethoven, du Mozart, du Liszt, du Wagner.

Et aussi du jazz figurant au catalogue du XXe siècle, dans les années 30, 40, 50 : Louis

Armstrong, Duke Ellington, Art Tatum, Mile Davis, Ella Fitzgerald, Besie Smith, Count Basie...

Et des tableaux, des mosaïques, des sculptures provenant de quelques musées découverts par Pistache, ou de collections privées enfouies çà et là.

A tel point que les caves servant de logement furent bientôt encombrées de toutes ces trouvailles miraculeusement échappées à la folie des hommes.

Mais une mauvaise surprise, hélas, était au bout de cette magnifique journée.

Depuis le matin, Miria se plaignait de violents maux de tête et c'est alors qu'Eddie achevait de classer les précieuses trouvailles que Fredo fit irruption dans la pièce commune.

— Venez tous, cria-t-il, vite... Vite !

— Qu'y a-t-il ? demanda Eddie avec inquiétude.

— Miria... Oh, venez vite, c'est affreux.

Tous se précipitèrent dans la chambre de Miria. La jeune fille était étendue sur sa couche, le regard trouble, la respiration haletante.

Adée se trouvait auprès d'elle, l'air complètement affolée. Et il y avait de quoi.

Le visage de Miria était gonflé, en même temps que de petites plaques rouges apparaissaient sur son épiderme. Ses mains crispées sur sa poitrine tremblaient de douleur.

— Miria, Miria, que se passe-t-il ? demanda Eddie en se penchant sur elle.

Le regard de la jeune fille accrocha le sien.

— Oh, j'ai mal... j'ai mal, murmura-t-elle.

Elle avait de la fièvre, son front était brûlant.

— Une infection, envoya le « curé ». Avec le « forniqueur », certainement. C'est jamais nettoyé, ce truc-là, c'est dégueulasse.

— Je commence à en avoir assez de cette mécanique, grogna Fredo. Je ne veux plus la voir.

— Assez, taisez-vous, coupa Adée. C'est la mer, cette saloperie de mer.

Eddie la regarda, les sourcils froncés.

— Quoi. La baignade ? Mais ça fait plus de quinze jours !

— Elle a recommencé. Hier, après la vente, elle est retournée là-bas. Elle me l'a dit.

— Miria !

Eddie se pencha sur la jeune fille.

— Miria... Oh, Miria, pourquoi as-tu fait ça ?

— J'ai mal... J'ai mal... Ooooh... Bon Dieu, que j'ai mal !

— Qu'est-ce que tu crois que c'est ? demanda Rubi dont les paroles semblaient traduire la pensée de tous.

Faisant appel à ses quelques connaissances

médicales, Eddie se penche sur Miria, la dégrafe et l'ausculte.

Le cœur bat sur un rythme anormal, les douleurs maintenant sont aussi dans la poitrine et la poitrine siffle.

Congestion ?... Pneumonie ?... Mais non, les élancements sont dans les os. Et puis aussi dans les tibias, comme l'indique Miria entre deux gémissements. Et dans la tête encore. Dans les os de la tête.

Encéphalite léthargique ? Non, non, aucun signe de somnolence. Méningite aiguë ? Méningite cérébro-spinale ? Mais non, non... les symptômes sont différents. Et puis, il y a les plaques rouges sur le visage... Comme une violente allergie.

« Une intoxication due au contact avec l'eau de mer, songe Eddie. Bon Dieu de bon Dieu, pourquoi a-t-elle fait ça ? Pourquoi ? »

Dans son désarroi, il entrevoyait déjà le pire et il écarta tout le monde.

— Ne l'approchez pas, conseilla-t-il, tenez-vous à l'écart. C'est peut-être contagieux.

C'était *sûrement* contagieux, il en était certain. Alors, il pensa aux médecins de l'Office de Santé. Mais les prévenir équivalait à un suicide collectif. Les médecins auraient tôt fait de diagnostiquer la maladie, et ils en découvriraient fatalement les causes.

Une enquête serait ouverte, le passage entre les barbelés découvert et toute la petite équipe serait arrêtée et exterminée. Passée par les armes et sans jugement. C'était la Loi !

Franchir le barrage maritime était puni de la peine de mort. Quant à Miria, on la tuerait aussi, parce qu'elle était coupable au même titre que les autres. D'ailleurs, existait-il seulement un remède pour la sauver ?

Et puis... et puis... était-ce vraiment aussi grave que ça ? N'était-il pas en train d'exagérer les choses ?

Eddie s'accrocha à cet espoir et s'en alla fouiller dans la « pharmacie » qui se trouvait dans la salle commune.

— Elle passera pas la nuit, fit Rubi qui l'avait accompagné, je le sens.

— Nous devons quand même essayer, répondit Eddie en choisissant quelques médicaments.

Elle passa la nuit. La fièvre même tomba dès qu'elle eut avalé les calmants, sa respiration devint moins lourde et son regard plus clair. Mais, à l'approche de l'aurore, les plaques avaient envahi tout son corps. Elle en était couverte de la tête aux pieds. De grosses plaques rouges, sur sa peau boursouflée. Son visage était méconnaissable. Gonflé et rouge. Et si rouge qu'on aurait dit que le sang lui sortait par tous les pores.

C'était affreux. Et d'autant plus affreux que

la révélation se faisait tout à coup dans l'esprit d'Eddie : la polydracose !

Il venait brusquement de se souvenir de cette terrible maladie. Il en avait entendu parler dans la zone 12, au Centre de Recherches où il avait été élevé.

Cette maladie était apparue vers l'an 2000, juste avant le Grand Bouleversement, provoquée par la pollution des eaux de mer. Et les symptômes que présentait Miria, maintenant, ne trompaient pas, il s'agissait bien d'une polydracose. Mais il se souvenait aussi qu'il existait un sérum contre cette maladie, dont l'humanité actuelle était heureusement préservée, un sérum périodiquement renouvelé, seulement conservé à des fins de laboratoire, et que le Centre de Recherches de la zone 12 était le seul à posséder.

Sa décision fut prise sur-le-champ. D'une façon comme d'une autre, il fallait qu'il réussisse à se procurer de ce sérum. Pour Miria, d'abord, et pour lui et les autres, car la contagion était à redouter.

Et si la contagion se répandait, cela risquait de tourner en épidémie. En épidémie mondiale !

— Je vais aller au Centre, dit-il. Je ferai le plus vite possible. Pendant ce temps, maintenez-la avec les calmants, c'est tout ce qu'on peut faire.

Malheureusement, la voiture de Fredo était

en panne : quelque chose foirait dans l'allumage. Aussitôt, Mhax se proposa. Son appareil anti-g était évidemment le moyen le plus rapide mais Eddie n'en connaissait pas le fonctionnement. Et il n'était pas non plus possible de voyager à deux. L'engin n'était pas assez puissant. Non, le mieux était encore d'emprunter une voiture.

Il en dénicha une assez rapidement d'ailleurs (la voiture d'un ami qui n'avait rien à lui refuser), et les deux hommes embarquèrent aussitôt.

*
* *

La zone 12 se trouvait à l'ouest, en bordure d'un fleuve qui, autrefois, s'appelait la Garonne. Une vaste étendue ceinturée d'un double réseau électrifié et où étaient parqués un grand nombre d'individus frappés par la dégénérescence.

Ceux-là avaient été des gens normaux, du moins en apparence, leurs tares ne s'étant manifestées qu'au stade de la puberté.

Ils appartenaient à la médecine et les médecins les étudiaient. Un centre d'étude en quel que sorte, mais aussi un camp de la mort, car la mort, dans ce camp, restait encore le moyen le plus simple et le plus efficace pour maintenir l'équilibre démographique.

De bien sombres pensées revinrent à l'esprit

d'Eddie alors qu'on approchait du camp. Il n'aimait pas cet endroit ; il ne l'avait jamais aimé.

Le voyage fut sans histoire, assez rapide grâce à la virtuosité de Mhax mais, devant l'entrée, le rouquin dut stopper et se garer dans le parking. Il n'était pas autorisé à pénétrer dans le camp, et si Eddie eut cette faveur, il la devait uniquement au fait qu'il était le fils du célèbre professeur Marchal.

— Alors, fiston, dit le gardien-chef en le reconnaissant, comment cela se passe-t-il, à la ville ? Tu es content ?

— Tout va très bien, assura Eddie. Je suis venu pour récupérer quelques affaires personnelles.

— Très bien. Entre !

Eddie avait mûrement réfléchi à son entreprise. L'appartement dans lequel il avait vécu et le laboratoire où avait travaillé le professeur Marchal étaient situés dans le même bloc. Comme midi venait de sonner, il était probable que plus personne déjà ne devait se trouver dans le labo.

Grâce à une autorisation spéciale, Eddie retrouva l'appartement, entassa rapidement quelques affaires dans une valise, histoire de jouer son rôle, puis fila directement jusqu'au labo. Il connaissait l'endroit où était entreposé le fameux sérum et n'eut aucune peine à s'approprier la quantité qui lui était nécessaire.

Il enfouit les ampoules dans une boîte qu'il mit dans la valise et sortit.

Décidément, tout s'était déroulé d'une façon parfaite et bien mieux qu'il ne l'avait prévu.

Quelques instants plus tard, il rejoignait Mhax et la voiture repartait à tombeau ouvert.

Premier incident : Il se produit après une cinquantaine de kilomètres avec l'éclatement d'une turbine arrière. Un vieux clou, cette voiture, et la turbine un peu trop malmenée a explosé au cours d'une brutale accélération. Les propulseurs électroniques en ont aussi pris un sérieux coup.

Mais Mhax a des petits talents de bricoleur. Une réparation de fortune est possible et il s'attelle immédiatement à l'ouvrage. Au bout de deux heures, c'est gagné. Les connexions sont réparées et la voiture peut reprendre la route.

Avec une turbine en moins mais aussi avec deux heures de retard !

Deuxième incident : Le moteur cale au deux cent huitième kilomètre. Non loin des vestiges de l'ancienne Carcassonne. La réparation n'a pas tenu et Mhax doit à nouveau faire appel à ses tournevis et à ses clefs anglaises. Mais l'heure tourne, et chaque minute qui passe aggrave l'état de Miria.

— Vite, bon Dieu, vite...

Enfin la réparation est terminée et le voyage reprend à allure réduite, car le moteur est maintenant en piteux état. À la prochaine panne, c'en est fait de lui !

Troisième incident : Les flics. Décidément, depuis le départ du camp, les mauvaises surprises arrivent en avalanche. Et avec les flics, il y a encore du mauvais sang à se faire, d'autant qu'ils n'ont pas l'air commodes.

Ils sont deux, bien serrés dans leur uniforme noir à boutons d'or. Deux grands gaillards à la mine sévère et prêts à jouer du pistolet pour peu qu'on leur en donne l'occasion. Ils aiment ça... Eux aussi !

— Vos papiers.

Le regard inquiet d'Eddie surveille Mhax. Mhax est recherché. Mais toutes ses cartes sont maquillées, et les flics n'y voient que du feu ! Pourtant, ils le dévisagent sous toutes les coutures.

— Les fêtes du printemps commencent dans trois jours, disent-ils, les villes de la région se sont plaintes. Il y a à chaque fois un peu trop d'indésirables qui viennent ici.

— Mais nous sommes de la région, rétorque Mhax.

— Ah oui...

Bien entendu, les policiers ne pensent pas un mot de ce qu'ils disent. C'est une façon à eux d'étudier les réactions des voyageurs et ces deux-là ont quelque chose de franchement bizarre. Le grand rouquin surtout, avec son air insolent qui semble cacher une inquiétude profonde. Quant à l'autre...

Tiens tiens, voilà que ses papiers ne sont pas en règle !

— Vous n'avez ni carte de travail, ni affectation politique ? disent-ils.

Eddie se lance alors dans une longue explication, décline ses origines, parle des promesses qui lui ont été faites par les Services Administratifs. Son cas est évidemment assez exceptionnel et demande à être vérifié. Mais, en attendant, voilà que les policiers fouillent la voiture, ouvrent la valise et mettent la main sur les ampoules de sérum.

— Qu'est-ce que c'est ? demande l'un d'eux. Une drogue interdite ?

— Non, un médicament, répond Eddie.

— Quel genre de médicament ?

— Je suis hépatique... Je...

— Ah oui ?

Un bruit de verre brisé. Le flic a cassé une ampoule et en renifle le contenu. Il sourit et lance à son collègue :

— Vas-y, Nel, casse-moi toutes ces ampoules.

Je veux voir la tête qu'ils font pendant qu'on les casse.

Dieu du ciel ! La colère l'emporte sur la prudence et Mhax frappe au moment où le policier se penche pour se saisir des ampoules.

Le coup violent qui l'atteint à la base du crâne le précipite en avant. Il se redresse, essaie de s'emparer de son arme, mais Mhax est déjà sur lui, frappant à coups redoublés.

Pendant ce temps, Eddie a sauté sur l'autre flic et, sous l'effet de surprise, a réussi à lui arracher son arme. Les deux hommes, agrippés l'un à l'autre, ont roulé dans la poussière mais Eddie a frappé sec à l'arête du nez et le policier est resté étendu au sol, sans connaissance.

— Allez, grimpe, vite, jette Mhax en sautant sur le siège.

Eddie saute à son tour et la voiture démarre en grondant.

⁂

La nuit tombait sur la ville. Çà et là, des lumières s'allumaient dans le brouillard.

La voiture stoppa. Saisi d'angoisse, Eddie rafla les ampoules et, suivi de Mhax, s'engouffra dans les caves. Un mauvais pressentiment était en lui, et dans la seconde même, le pressentiment devint réalité.

Fredo et les autres se tenaient dans la salle

commune, le visage serré, immobiles et muets. Et c'était ça, la réalité, la tragique réalité. Ils arrivaient trop tard !

— Miria ? demanda Eddie du bout des lèvres.

— C'était affreux, répondit Fredo dont le regard était empli d'horreur. Aussi longtemps que je vivrai, je ne pourrai jamais oublier ça. Son corps n'était qu'une plaie, son visage était devenu... comme... oh, bon Dieu, comment est-ce possible ?

Il n'eut pas la force de continuer, sa voix se brouillait.

— Et elle a souffert..., poursuivit Rubi. Si tu savais ce qu'elle a souffert...

— C'est arrivé quand ?

— En fin d'après-midi.

— Où est-elle ?

— Nous ne pouvions pas la garder, tu le comprends, intervint Pistache à son tour. Et nous ne pouvions prévenir personne non plus. Alors, nous... nous l'avons emportée et... enterrée nous-mêmes.

— Où ça ?

— Près de la cabane où nous rangeons les outils. Personne ne nous a vus... Nous...

— Enterrée comme ça... ? Mais...

Rubi devina sa pensée.

— Non, non, rassure-toi, se hâta-t-il de répondre. Nous nous sommes procuré de la chaux vive. Nous avons fait ce qu'il fallait faire.

Eddie approuva de la tête. Une lassitude extrême était en lui, les mots lui manquaient pour exprimer ce qu'il ressentait.

Il alla jusqu'à la « pharmacie », prit une seringue et des aiguilles, puis revint vers la table où il avait déposé les ampoules de sérum.

— Relevez vos manches, demanda-t-il.

CHAPITRE XII

Eddie ne sut jamais comment les choses étaient arrivées.

Maintenant, il regardait l'homme devant lui, et serrant les dents si fort que la mâchoire lui faisait mal.

La rage... La colère... Il ne comprenait pas comment ils avaient mis la main sur lui.

Pourtant, il était certain que les deux flics, sur la route, n'avaient pas eu le temps de noter le numéro de la voiture.

Un faux numéro !

Et, pour plus de précautions encore, Mhax avait fait disparaître la voiture. Alors ?

L'homme s'était remis à fumer devant lui, attendant une réponse à sa question... Eddie ne bronchait pas.

Peut-être avait-on enregistré les signalements ? Par photos... Oui, les flics étaient équipés de caméras miniatures, fixées dans leur équipement.

Alors, peut-être que les signalements avaient été diffusés. Ou bien avait-on usé d'un autre moyen...

Toujours est-il qu'il avait été appréhendé alors qu'il vendait un vieux tapis de laine à un passant, un vieux tapis provenant de la Ville Morte... Un vieux tapis qui... Mais au diable le tapis !

— Où est la personne qui se trouvait avec vous dans la voiture ?

Toujours la même question. Les mots tombaient comme des pierres.

L'officier de police fumait tranquillement derrière son bureau, les coudes posés sur la planche, les mains jointes. Il attendait.

— Où est-il ?

Eddie soupira.

— Je ne cesse de vous le dire. Je ne sais pas. Je ne connais pas ce garçon. J'ai fait du stop et il m'a embarqué dans sa voiture.

— Tu mens.

— Je dis la vérité.

— On l'appelle Mhax. Tu sais de qui je parle.

— Non.

— Qui sont tes complices ? Où sont-ils ?

— Je n'ai pas de complices, je ne connais personne dans cette ville.

L'officier de police, exaspéré, appela quatre hommes qui se tenaient dans la pièce voisine et, sans commentaire, leur abandonna le jeune garçon.

Quatre brutes choisies parmi les nouvelles recrues. Ceux-là commençaient leur période de Travail Obligatoire.

Au début, le zèle était de rigueur, comme partout ; après, ça se tassait, bien sûr, mais pour l'instant, ces quatre-là tenaient à commencer en beauté.

Quand Eddie se retrouva dans la pièce nue et close, un frisson d'horreur le secoua.

Les quatre hommes s'armaient de chaînes fines et souples, de « gants de fer » et de tubes de caoutchouc. La séance commença sans un mot, un coup après l'autre. Et puis les quatre hommes unirent leurs efforts pour frapper et frapper. Avec une brutalité inouïe.

Eddie tombait, se relevait, s'écroulait, rampait et se tordait dans l'avalanche douloureuse.

— Tu ne sais toujours rien, n'est-ce pas ?

Il fit non de la tête et perdit à moitié connaissance. Il réalisa toutefois qu'on l'empoignait, qu'on le tirait, qu'on le traînait dans une autre pièce.

Vide ! Noire !

La porte se ferma lourdement et ce n'est qu'au bout de deux jours qu'on vint le tirer de là. Il eut droit à un peu de nourriture et à une carafe d'eau.

Après quoi, on l'embarqua dans une voiture d'Etat qui, à son grand étonnement, le conduisit au Centre de Rééducation Politique.

Mais enfin, que se passait-il ?

Cette fois, tout allait sans brutalité et les divers secrétaires devant lesquels il défila pour complément d'information ne semblaient manifester aucune hostilité à son égard. Des sourires, même, quelquefois.

L'homme qui le reçut dans son bureau princier était un grand gaillard d'une cinquantaine d'années, que l'on devinait rapide dans ses décisions.

Il prit une fiche dans un classeur, la posa devant lui puis releva les yeux sur Eddie.

— Vous êtes Eddie Marchal, matricule C.K. 1205-28, fils du professeur Herbert Marchal, matricule C.K. 1205-27. C'est bien cela ?

Eddie inclina légèrement la tête. Le fonctionnaire, qui l'observait attentivement, eut un geste rassurant.

— N'ayez aucune crainte, dit-il, c'est sur mon intervention que vous êtes ici. Dès que j'ai su que vous étiez le fils du célèbre et honorable docteur Marchal. Vos démêlés avec la Sécurité n'entrent pas ici en ligne de compte.

Il eut un geste vague.

— Peut-être avez-vous été victime d'une erreur, c'est possible, mais je ne suis pas tenu d'en discuter avec vous. Chaque service a ses responsabilités, les nôtres sont différentes. Vous êtes ici parce que j'ai relevé certaines lacunes dans vos fiches individuelles. Vous n'êtes pas socialement intégré.

De son index tendu, il tapota la fiche posée devant lui.

— Nous avons fait des recherches, et il s'avère que vous n'avez aucune carte de Travail, aucune affectation spécialisée, aucune affectation politique non plus. Vous êtes arrivé de la zone 12 depuis déjà plus de deux mois, vous avez eu tout le temps pour accomplir ces démarches...

Un silence. Mais il faut croire que la réponse d'Eddie importait peu, car le fonctionnaire s'empressa d'ajouter :

— Nous allons donc réparer votre négligence et procéder à votre intégration sociale. D'après les renseignements qui nous sont parvenus de la zone 12 figurent vos tests intellectuels, lesquels donnent un quotient bien au-dessus de la moyenne. Vous êtes un garçon très intelligent, et c'est ce qui incite le Gouvernement à s'intéresser à vous.

— Le Gouvernement ?

— Je veux dire que le Gouvernement a toujours marqué un très grand intérêt pour les hommes de valeur. Et, puisqu'il faut commencer par votre intégration politique, je pense que le choix est tout indiqué.

Le visage d'Eddie se serra tout à coup, mais l'autre poursuivait et concluait :

— Ensuite, nous verrons le métier à choisir. Mais cela dépend du Centre d'Orientation professionnelle. Voilà, c'est tout. Je vous souhaite une parfaite intégration, monsieur Marchal.

Immédiatement, Eddie songea à Celia... Celia était là, quelque part dans le Centre.

Mais que pouvait-elle pour lui ?

— *Respirez lentement... Détendez-vous...*

La voix de l'instructeur politique. La voix est nette, mais la silhouette est vague. Sous l'effet des drogues hypnogènes, on la devine comme à travers un voile, qui danse, qui ondule.

— *Répétez avec moi... Les textes 1 et 2...*

Viennent ensuite les films à images subliminales, les chants politiques invariablement émis pendant les conférences avec l'obligation de les chanter en même temps, les citations, les slogans affichés, imprimés en lettres lumineuses sur des panneaux muraux.

Eddie en était à son troisième jour et la même vague de terreur l'assaillait le soir, lorsqu'il se retrouvait dans sa chambre. Une chambre toute blanche.

C'était le seul moment où il était en contact

avec lui-même car, dès qu'il s'abandonnait au sommeil, tout recommençait. Avec les minuscules haut-parleurs installés sous l'oreiller, et les voix chuchotantes qui débitaient toujours les mêmes formules stéréotypées.

Le conditionnement, l'endoctrinement politique vingt-quatre heures sur vingt-quatre ! Et pour toutes les idées, car le Centre était divisé en plusieurs secteurs politiques.

Tout le monde y avait droit, à période fixe, tous les cinq ans, afin d'entretenir une « instruction » qui commençait depuis la plus tendre enfance.

Mais on y conduisait aussi ceux qui, par négligence ou « relâchement moral », manquaient à leurs devoirs de citoyens, qui devenaient trop « tendres » et que l'on accusait de « déviationnisme ».

On les rééduquait dans leurs idées, ou plutôt dans celles qu'on leur avait déjà imposées afin de conserver la balance politique établie par les Machines Pensantes.

Cela rappelait à Eddie que des établissements de ce genre avaient existé autrefois dans les pays de l'Est, sous l'appellation déguisée de « cliniques psychiatriques ». Sous cette forme-là, c'était bien sûr une invention du XXe siècle, mais on avait fait des progrès depuis. A présent, tout se passait dans la légalité et sans que personne ne vienne contester un tel asservissement moral. Le conditionnement permettait de tout accepter... même une telle horreur.

Le monde entier était devenu une prison, mais les hommes n'avaient nullement conscience d'être emprisonnés, parce que les murs de la prison leur étaient invisibles et qu'ils se croyaient libres.

Et pourtant, ils étaient devenus des esclaves psychologiques, des esclaves n'ayant même pas conscience de leur esprit illégalement emprisonné.

Ils vivaient faussement libres dans de fausses libertés, dans cet empoisonnement grégaire qui leur taraudait l'esprit comme taraudent la chair des aliments infectés et les drogues pernicieuses.

Mais c'était aussi l'école des politiciens. Par une éducation relevant des cours dramatiques et de l'art théâtral, et sous l'apparence de bons papas conciliants ou de tribuns enflammés, ceux-là apprenaient à manipuler et à exploiter les masses avec de longs propos nébuleux, logographiques, souvent répétés et quelquefois entachés d'une frénésie venimeuse, mais dont le seul but, appuyé sur un crétinisme moral, était de dissimuler la vérité sur quelque sujet que ce soit.

En fait, cela ne faisait que perpétuer la véritable nature de ces êtres que l'histoire avait, au cours des siècles, qualifiés de commerçants, de vendeurs politiques, d'amuseurs et de guignols humains.

Mais les choses avaient encore évolué de ce côté-là et l'exploitation des croyances, après l'abandon de l'Eglise et des saintes institutions, avaient hissé les politiques au rang de religion. On priait Marx, on invoquait Mac Carthy, on faisait des neuvaines à de Gaulle et on disait des paters à Mao.

C'est ainsi que, ce soir-là, Eddie reçut la visite d'un convertisseur politique. Comme les prêtres et les laïcs d'autrefois, ces nouveaux pêcheurs d'âmes visitaient les « malades » et promettaient le salut à ceux qui se repentaient de leurs erreurs dans l'accomplissement total de leurs devoirs sociaux.

Une messe politique aurait lieu dans quelques jours, et Eddie était prié d'y assister.

Son boniment terminé, le « prédicateur » se retira et Eddie resta seul avec ses pensées. Il se voyait perdu, réduit à l'état de robot humain, dépersonnalisé au profit d'un conditionnement qui paralysait tous ses efforts intimes, personnels.

Une fois encore, il pensa à Celia, et puis la porte s'ouvrit, tout à coup, et Celia entra.

Elle lui apparut dans sa blouse blanche immaculée et dans une précipitation de tous ses gestes.

— Celia !

Elle s'approcha et lui tendit une tenue d'infirmier qu'elle portait sous son bras.

— Vite, ordonna-t-elle. Il faut que vous partiez d'ici, il y va de votre vie.

— Celia, que se passe-t-il ?

— Pas le temps de vous expliquer. Suivez-moi, dépêchez-vous !

Toujours incapable de comprendre ce qui lui arrivait, Eddie enfila la tenue blanche, sortit de la chambre et se laissa guider.

Ils franchirent un long couloir baigné d'une lumière douce et tamisée. Quelques membres du personnel y déambulaient, mais nul ne sembla prêter attention à Eddie.

Enfin, Celia ouvrit une porte dans le fond, entraîna le jeune garçon dans un escalier en colimaçon conduisant au rez-de-chaussée. Arrivée au premier étage, elle désigna un couloir qui desservait les buanderies !

— Continuez par là, dit-elle, vous trouverez un autre escalier, au fond, attendez-moi en bas. Ne bougez pas. J'ai fini mon service et je dois pointer au contrôle, vous comprenez ?

Elle fila par une autre issue et Eddie poursuivit sa marche, le cœur battant et la tête folle.

Lorsqu'il eut atteint le rez-de-chaussée, il se trouva devant une porte close, solidement verrouillée : une entrée de service, et cette entrée devait être consignée pendant les heures de travail.

Il attendit, les minutes coulèrent et puis la serrure claqua et Celia réapparut en tenue de ville. Elle avait emprunté la voiture d'une amie, laquelle était garée juste devant l'entrée. Tous deux s'y engouffrèrent et Celia démarra dans une brutale poussée.

CHAPITRE XIII

Ce n'est qu'après avoir atteint la limite des faubourgs que Celia stoppa le véhicule.

Derrière eux, dans la ville, la fête battait son plein : des feux d'artifice éclaboussaient la nuit en longues gerbes multicolores et les bruits des pétards se mêlaient à de vagues et lointains accents musicaux.

— Merci de votre aide, fit Eddie en rompant le silence, mais je voudrais bien savoir...

— Vous avez risqué votre vie pour moi, l'autre jour, il était normal que je vous vienne en aide, moi aussi, coupa-t-elle. J'avais appris votre arrivée au Centre, mais je n'avais pas encore eu l'occasion de vous approcher. Ce soir, c'était différent.

— Que s'est-il passé ?

Il allait enfin savoir ce qui avait motivé tout cela. Durant le trajet, Celia n'avait pas dit un mot. Elle avait constamment surveillé le rétroviseur dans la crainte d'être suivie et elle n'avait cessé de trembler. A présent, ses craintes se muaient en un embarras qui l'obligeait à baisser les yeux.

— Ils savent..., dit-elle enfin. Ils savent que vous n'êtes pas le fils du docteur Marchal.

Les mots avaient une curieuse résonance.

— Je travaille au service des contrôles, je suis venue à vous dès que j'ai eu connaissance du rapport qui vous concernait. Quand vous êtes entré au Centre et pendant que vous étiez sous l'effet de drogues hypnogènes, ils vous ont fait un prélèvement de tissu et les généticiens ont comparé avec les caryotypes du professeur Marchal et de sa femme.

Eddie serra les poings. Voilà bien ce qui l'avait fait hésiter quand, une fois arrivé de la zone 12, il s'était trouvé démuni de carte de travail et d'affectation politique.

Ces choses-là exigeaient un contrôle d'identité basé sur les caryotypes sanguins, du fait que les liens de parenté, quelquefois faussés par les centres pédologiques assurant la prise en charge des nouveau-nés, devaient toujours être scrupuleusement déterminés.

Nul n'y échappait, et les contrôles d'identité étaient d'autant plus sévères que le monde était la proie d'une dégénérescence mettant en péril ce qui subsistait encore de l'humanité.

Et ce qu'Eddie avait redouté s'était produit au Centre de Rééducation. Maintenant, *ils* savaient !

— C'est exact, reconnut-il, je ne suis pas le fils du docteur Marchal. Les papiers que je possède ne sont que fausse identité. Vous voulez savoir pourquoi ? Je vais vous le dire. Non, ne refusez pas cet aveu, Celia, vous avez le droit de savoir. Quand le professeur Marchal et sa femme se sont installés dans la zone 12, Mme Marchal attendait un enfant. Elle a accouché quelques mois plus tard, mais les choses se sont très mal passées, l'enfant est mort à la naissance et des complications étant survenues, il s'est trouvé que Mme Marchal ne pouvait plus espérer d'autres maternités. Une déception immense pour les Marchal car, dans la zone 12 comme dans toutes les zones interdites, les lois sur le contrôle des enfants n'ont pas cours, du fait que ces gens ne sont plus intégrés à la société. Les médecins qui acceptent cet exil deviennent aussi des reclus.

« Les Marchal étaient donc privés de cette joie. Mais un concours de circonstances a modifié l'ordre des choses. Il s'est trouvé que Marchal a accouché une femme du camp ce même jour. Elle était enceinte, en effet, lorsqu'une mutation foudroyante s'est déclarée, exigeant son transfert immédiat dans la zone 12. Mais l'enfant était sain, apparemment intact, d'après les analyses, et c'est ce qui a décidé Marchal. Il a opéré la substitution secrètement, en jetant dans l'incinérateur non point le bébé de cette femme, car la loi interdit toute progéniture à l'intérieur des camps, mais le cadavre de son propre fils. Et voilà comment l'autre fut élevé par la famille Marchal. Et cet autre, eh bien, c'est moi !

Il se tut un instant, jeta sa cigarette et regarda Celia.

— Mme Marchal est morte il y a quelques années, reprit-il, et c'est après sa mort que Marchal m'a tout appris. Il voulait que je sache, il ne se sentait pas le droit de me cacher la vérité. Mais, pour moi, cela ne changeait rien, je les aimais comme...

Il s'arrêta en réalisant que ce sentiment ne trouvait aucun écho en Celia. Elle ignorait tout de ce sentiment-là, elle n'avait jamais connu l'affection familiale, l'intimité d'un foyer, la caresse d'une mère.

Il haussa les épaules.

— Voilà toute l'histoire, reprit-il, j'aurais pu faire une carrière médicale dans la zone 12, mais j'ai interrompu mes études parce que ce camp me faisait horreur. Marchal est mort tout dernièrement, et je n'avais plus le courage de continuer cette vie. Alors, voilà, je suis venu.

— Mon Dieu, soupira Celia éperdue, maintenant, ils savent, ils vous tueront s'ils vous retrouvent. *Administrativement, votre existence est illégale.*

Eddie serra les poings.

— Je sais, on n'accorde pas la vie aux enfants engendrés par des monstres. Ma mère était un monstre !

— Taisez-vous !

— Un monstre, oui ! N'ayons pas peur des mots. Un monstre hideux, oui, hideux ! Et mon père ? Qui était mon père, est-ce que je sais ? Et moi, hein ? Moi... qui peut savoir ? Qui ?

La main de Celia se serra sur le bras du jeune garçon.

— Taisez-vous, Eddie, je vous en supplie, taisez-vous ! Vous avez franchi le cap de la puberté, vous ne risquez rien.

— Je parle de ce qu'il y a en moi.

— Nous sommes tous logés à la même enseigne. Et maintenant, calmez-vous, ça ne sert à rien, ce que vous dites. Ce qui importe avant tout, c'est votre situation. Il va falloir trouver une solution.

Eddie se calma.

— Comme s'il y avait une solution, soupira-t-il.

— Il y en a une.

— Laquelle ?

— Je vous expliquerai.

Sans un mot de plus, Celia remit le contact et la voiture fila en bordure des faubourgs. Au bout d'un instant, elle stoppa devant une vieille bâtisse sombre et rechignée, dont les fenêtres étroites laissaient apparaître une lumière honteuse et sale.

Ils étaient une dizaine à vivre là, dans le désordre et l'abandon. Un peu comme chez Fredo. L'esprit de groupe, l'esprit de communauté. Mais avec cette différence qu'ici tout était noir et triste. Les murs, l'ambiance, les visages. Visages sombres, désabusés, tourmentés.

Allongés sur des paillasses, sept garçons et trois filles bavardaient entre eux dans une atmosphère de haschisch et de marijuana.

Les têtes se levèrent lorsque Celia entra avec Eddie, et celui qui paraissait être le chef du petit groupe fixa un instant Eddie de ses yeux lourds puis secoua la tête en signe d'assentiment.

— Ce sont des amis, appuya Celia, vous êtes ici en toute sécurité.

— Qui sont ces gens ?

— Des adeptes du Renoncement.

— Une secte ?

Qu'importait le nom que l'on pouvait donner à ce Mouvement. Le Renoncement, expliquait Celia, signifiait rupture avec la société, rupture avec les lois, les contraintes, les coutumes, les mœurs, rupture avec le conditionnement et l'*habea mentem* imposés par l'oligarchie au pouvoir.

Ce mouvement clandestin n'était composé

que de quelques petits groupes épars disséminés à travers le monde et qui échappaient aux contraintes sociales à l'aide de fausses identités relevant d'un véritable travail d'artiste.

Ils vivaient dans le dénuement le plus complet, exécutant de temps à autre quelques travaux personnels leur permettant tout juste de ne pas mourir de faim.

— Le temps de vous fabriquer une autre identité, assura Celia avant de partir. Je vais m'occuper de tout, rassurez-vous.

Monde étrange que celui de ces reclus, et Eddie devait apprendre de bien curieuses choses à leur sujet au cours des jours qui suivirent.

D'abord, ils avaient une méthode de déconditionnement bien à eux. Par les drogues. Sous l'influence des drogues, ils accédaient à une sorte de purification de l'esprit. Ils détruisaient eux-mêmes tout ce que les Centres d'Education leur avaient inculqué depuis la naissance, se libéraient des « idées-force », en effaçaient jusqu'à la moindre trace.

Alors, ils parvenaient à une liberté totale de la pensée. (Du moins le disaient-ils.) Une liberté qui ne pouvait s'obtenir que par le refus de toute influence d'ordre social, technique, politique ou intellectuel. Il fallait être nu, pur et simple pour accéder à la Grande Vérité — vérité première des hommes et des choses — et le Renoncement, puisqu'il en était ainsi, conduisait fatalement à l'Absurde et au Non-sens.

La vie est absurde, disaient-ils à Eddie, le monde lui-même est une absurdité. Il n'y a aucun but, aucune finalité à part la mort, et toute vie s'accomplit dans l'attente ou la crainte de la Mort. Puérilité. Regarde les hommes, ils vivent dans le souci permanent d'exigences futiles, dans le souci constant de leurs besoins organiques, et les années passent.

Un homme de trente ans, s'il doit mourir, fait le bilan de sa vie. Il se penche sur ses souvenirs et constate au fond de lui-même que sa vie a été courte. A quarante ans, il connaît la même impression et ainsi de suite. A soixante-dix ou quatre-vingts ans, il a toujours l'impression que sa vie a été courte et que cette vie ne l'a jamais mené à rien. Sauf à la mort. Le passé ? Pour lui, ce n'est plus qu'un souvenir, c'est-à-dire quelque chose d'irrémédiablement perdu.

Quand il meurt, lui-même laisse encore un souvenir ; on se souvient de lui comme on se souvient d'un objet qu'on a possédé, et puis arrive l'oubli. Car les choses en ce monde sont ainsi faites : de réalité, de souvenirs et d'oubli.

Depuis la Création, des milliards et des milliards d'hommes ont vécu, mais se penche-t-on sur les individualités ? Se penchera-t-on sur les nôtres dans dix, cent ou mille ans d'ici ? Et ceux qui vont nous succéder susciteront-ils eux aussi l'intérêt de leurs descendants ? Que représente une vie humaine, dans ce concert éternel de vie et de mort ? Rien. Rien à part l'oubli, parce que l'oubli est intimement lié à la mort et à la destruction des êtres et des choses. Voilà l'Absurde.

Pour Eddie, cette thèse est inadmissible. Chaque vie humaine apporte au contraire sa contribution dans ce puissant mouvement d'évolution qui est le moteur même de toute humanité. L'homme évolue, les masses évoluent vers une finalité, métaphysique peut-être, mais qui reste intimement liée aux lois universelles.

Mais non, répondent les autres, ce ne sont là que des concepts philophico-religieux tendant à prouver l'existence de Dieu. Mais Dieu n'existe pas. C'est une invention des hommes, Dieu, par faiblesse, par crainte, et aussi parce qu'il faut bien rejeter la Faute sur quelqu'un. Il faut un responsable aux humains. Et Dieu a bon dos !

Allons donc, reprend Eddie, en parlant du Créateur, vous péchez par anthropomorphisme. Il s'agit d'un *Quelque Chose* inaccessible à nos sens. Enfin, quoi, les lois de l'univers, celles qui régissent la matière, les forces qui en résultent, ne sont tout de même pas le fruit du hasard et du chaos. Rien ne peut être créé de rien !

Et pourquoi pas ? contre-attaquent les autres. Toujours cette baguette magique quand il s'agit de Dieu. L'univers est ainsi, les choses sont ainsi, et *cet ainsi* est encore l'Absurde ! Si Dieu existait, s'Il était Justice et Perfection, pourquoi alors permettrait-Il que l'homme soit coupable, faillible ? Ce Dieu super-homme haïrait-il les hommes ? Absurdité encore, non-sens !

Soit, admettons l'Absurde, mais alors toute l'évolution humaine est basée sur l'Absurde, puisque ce sont les mythes, les croyances et les aspirations divines qui ont inspiré la plupart des chefs-d'œuvre de l'ancienne humanité : la peinture, la musique, la sculpture. L'architecture aussi avec les cathédrales, les temples, les palais liturgiques et les pyramides.

Non-sens, toujours le non-sens, car l'évolution dont parle Eddie n'est autre que le chemin du Sublime. L'humanité tend à se sublimer par le jeu d'une alchimie sociale qui voudrait la métamorphoser comme le plomb vil en or pur. Mais ce retour à la pureté adamique ne la conduit-elle pas à une illumination, à une perfection illusoire ? Et par quels moyens ? Par les progrès techniques qui ont permis de déclencher des guerres toujours plus meurtrières ; par l'introduction d'idées folles, aberrantes, conduisant à de révoltantes atrocités ; par des ambitions démesurées où s'inscrivent entre autres l'Eglise et l'Inquisition, les guerres religieuses, l'œcuménisme politico-religieux d'Alexandre-le-Grand, le marxisme avec l'asservissement de l'homme par l'Idée, et le nazisme à la recherche de la pureté raciale en recourant au génocide.

Ainsi parlaient les adeptes du Renoncement. Bien sûr, l'humanité poursuivrait son escalade vers le sublime et, à l'heure actuelle, les Machines Pensantes avaient réinventé la Morale, une autre Morale sociale. Cela continuerait, il y aurait encore d'autres systèmes, et d'autres encore.

Et quand bien même y parviendrait-on, au sublime, qu'en résulterait-il ? Arrivée à ce stade de perfection, ayant vaincu l'insatisfaction par l'apaisement définitif de ses passions et de ses désirs, l'humanité, au terme de sa course, ne pouvait que se détruire elle-même. S'autodétruire physiquement et moralement, car une société statique, involutive, est irrémédiablement vouée à la mort.

Alors ? Alors, on en revenait aux lois de l'Absurde et du Non-sens : réalité, souvenir, oubli. Et l'oubli seul subsisterait dans la Mort éternelle. Voilà la finalité. Autant celle de l'individu que de l'humanité tout entière. La mort et rien d'autre. Parce que la Mort est une réalité et le Sublime qu'une fiction du cœur et de l'esprit.

Mais non, mais non... erreur... erreur, affirme Eddie, cette vision étroite de l'humanité ne tient pas compte de l'évolution biologique, elle se limite seulement aux caractéristiques actuelles de notre espèce. L'homme évolue biologiquement, il est aujourd'hui prisonnier du continuum quadridimensionnel auquel il appartient en tant que réalité physique, mais un jour, il se libérera, « sortira de lui-même », comme le papillon se dégage de la chrysalide, s'évadera par une libération de l'esprit dans d'autres dimensions, dans d'autres sphères universelles qui nous sont encore inconnues, mais que l'on entrevoit sous la forme d'univers parallèles ; un autre côté où nous attend, peut-être, un nouvel état de transmatérialisation.

Depuis la primistoire, depuis le zinjanthrope, l'homme a franchi bien des étapes et il poursuit sa route vers une sublimation sans cesse renouvelée. Une sublimation éternelle, infinie, à l'image de l'univers, à l'image de Dieu.

Car il n'existe aucune finalité. L'univers est éternel, Dieu est éternel. Comme les nombres, comme l'asymptote, comme l'infini géométrique de Pascal.

Voyons, messieurs, lisez Platon. Pour qualifier notre ignorance actuelle, peut-on trouver meilleure image que ces « ombres défilant dans la caverne » ? Nous entrevoyons la Vérité, sous la forme d'une ombre parce que encore inaccessible à nos sens, mais une ombre, n'est-ce pas déjà le commencement... de la Lumière ?

Les choses en restèrent là. Dans cet affrontement, on imaginait assez, d'ailleurs, les tourments qui pouvaient naître de l'une et de l'autre proposition philosophique. Du fait même qu'il était bien impossible d'imaginer une troisième solution à ce problème.

Le temps passa. Et si les trois semaines qui s'écoulèrent furent pour Eddie longues et pénibles, elles apportèrent toutefois la rassurante réponse que l'on attendait de Celia.

En effet, Celia avait obtenu la nouvelle identité qui assurait la délivrance d'Eddie : Pierre Martel, matricule NB 2808-14.

CHAPITRE XIV

Eddie se leva. La chambre de Celia était une petite chambre, confortable certes, mais d'une simplicité ordinaire, et sans le moindre superflu. En tout cas, rien de comparable avec le taudis infect où il avait vécu en compagnie des adeptes du Renoncement.

Il regarda Celia. Elle était nue, allongée sur le grand lit tout blanc aux draps chiffonnés, un indéfinissable petit sourire au coin des lèvres. C'était toujours ainsi, après l'amour, dans la paix alanguie qui succède à l'étreinte. Elle souriait tout en le fixant de ses yeux mi-clos. Et puis le sourire se diluait et Celia renouait avec ses préoccupations intimes. Comme si elle cherchait volontairement à ne donner aucune prise à ses sentiments. Comme si

Eddie ne constituait rien d'autre qu'une circonstance, qu'une occasion, plutôt qu'une réalité majeure dans son existence.

Jamais un mot sur l'avenir, même le plus immédiat. Pour elle, seule la minute présente semblait avoir de l'importance et Eddie savait parfaitement que, dans sa mélancolique retenue, elle restait sous l'emprise de ces conceptions matérialistes professées par les adeptes du Renoncement.

Celia refusait l'espoir et ne vivait que dans l'attente de la mort. C'était effroyable... impensable... inhumain. Et si elle continuait à assurer ses fonctions au Centre de Réadaptation Politique, c'était uniquement pour venir en aide à d'autres désespérés qui, à leur tour, cherchaient le moyen de rompre avec les exigences sociales.

Une passivité consciente, délibérée... s'opposant à toute volonté de survivre. Et pourtant, dans l'amour, elle était sincère, tendre, affectueuse, passionnée même.

Cela avait été ainsi, il y a une minute à peine, mais à présent la magie s'était envolée. De nouveau, ils étaient deux, et non plus un.

— Je t'aime, Celia, murmura Eddie, je t'aime tellement...

Elle se leva, l'embrassa, mais se garda de toute réponse. Comme toujours. Elle se rhabilla et il en fit autant. Peut-être qu'avec le temps... la patience... peut-être que...

Il n'insista pas et, comme elle se rendait à son travail, il sortit lui aussi pour se mêler à la foule des rues. Il n'avait plus aucune crainte, maintenant, avec son crâne rasé, sa barbe épaisse et ses grosses lunettes noires. Il s'était composé un autre visage, mais cette précaution n'était que de pure forme, du fait que Celia avait parfaitement organisé « sa mort », ou plutôt celle d'Eddie Marchal.

Un cadavre à demi carbonisé récupéré quelque part au cours des fêtes de Printemps, quelques faux témoignages et un constat de décès hâtivement établi avaient fait le reste.

Eddie Marchal était mort et nul ne se souciait plus de lui. Mort également pour Fredo et les autres qui, informés par Celia, avaient accepté ce changement d'identité. Sans commentaires superflus, sans questions indiscrètes... Pour eux, maintenant, il s'agissait de Pierre Martel.

Toujours le grand secret... La loi du groupe... La loi du silence...

Ainsi, Eddie avait repris ses anciennes habitudes, et ses périodiques investigations dans la Ville Morte continuaient à susciter l'intérêt général. En fait (et Eddie l'avait constaté après sa longue absence), le désir de connaître et de savoir s'était installé comme une maladie à virus. On lisait Shakespeare, Montherlant, Pascal, Goethe, on étudiait les humanistes, Balzac, Zola, on discutait philosophie, histoire et sciences sociales, on écoutait Bach, Stravinsky, Brahms, Duke Ellington... Peut-être pas encore comme il convenait de le faire, mais c'était un début. Un grand début ! Un acte de volonté qui se voulait prometteur. Une fureur de lire associée à une fureur de vivre !

***

Ce jour-là, donc, Eddie avait fait en solitaire une nouvelle inspection dans l'ancien Béziers. Il en ramenait de nouvelles découvertes dans le gros sac de toile qu'il portait sur le dos.

L'atmosphère était lourde, presque suffocante, et il fit une pause alors qu'il descendait vers la rivière. C'est à cet instant qu'il perçut la voix d'Adée. Comme un appel déchirant, désespéré...

La jeune fille courait vers lui, dans la plaine grise couverte de cendre et de mâchefer. Elle courait comme une folle, les yeux hagards, le visage convulsé.

Saisi d'inquiétude, Eddie se précipita pour la rejoindre.

— Adée... Adée... que se passe-t-il ?

Adée, la gorge nouée, avait d'énormes difficultés pour lui répondre.

— Bella..., sanglota-t-elle. Oh, mon Dieu... C'est affreux... C'est affreux...

— Mais parle, bon sang, parle !

— Je venais te rejoindre quand... quand j'ai entendu crier Bella... Oh, viens, viens vite !

Elle l'entraîna, toute tremblante, vers la cabane où la petite équipe rangeait tout son matériel d'exploration et lorsque Eddie y pénétra, il vit Bella, allongée sur une couverture et gémissant faiblement.

Sur le moment, il ne réalisa pas toute l'horreur qui se dégageait de ce corps torturé, secoué de spasmes violents. Bella ne portait que son tee-shirt et tout le reste de son corps était nu. Le pantalon gisait dans un coin de la cabane.

Et puis le regard du jeune garçon se pose sur le ventre, gonflé, avec sa peau tendue à craquer. Une onde glacée lui parcourt l'échine en même temps qu'il recule d'un pas, frappé d'épouvante.

Au niveau de la hanche, *quelque chose* de long et de noir ondule en se dégageant de l'abdomen, et à son grand désarroi Eddie réalise qu'il s'agit d'un ver... D'un gros ver qui sort du ventre de Bella !

La créature n'est qu'à demi dégagée de sa prison de chair.

— Tuez-moi ! supplie Bella.

Elle serre les dents et tourne la tête pour ne point voir cette hideuse créature qu'elle est en train d'enfanter.

— Tuez-moi, je vous en supplie...

— Bella..., réussit à articuler Eddie. Depuis quand... depuis quand cette chose... ?

— Cela a commencé par un trou... dans le ventre, murmure Bella, les yeux clos. Il y a deux ans... Ça n'arrêtait pas de couler... C'était horrible, et puis ce matin quelque chose a bougé dans mon ventre. Oh, tuez-moi... tuez-moi... je vous en supplie...

D'un coup, tout se précisa dans l'esprit d'Eddie : d'abord l'opposition forcenée que mettait Bella devant les entreprises amoureuses des garçons de son âge, cela afin qu'ils ne découvrissent pas l'affreuse mutation dont elle était victime. Ensuite, ses fréquentes ablutions dans la salle d'eau devenues nécessaires pour la nettoyer de cette humeur qui n'arrêtait pas de suinter de la valvule de chair qu'elle portait à son flanc.

Eddie se souvenait de cette odeur âcre et répugnante qu'il avait quelquefois surprise chez Bella. Pauvre Bella... elle avait caché son épouvantable mutation afin de ne pas être envoyée dans l'un de ces camps réservés aux dégénérés. Mais elle n'avait certainement pas deviné l'horrible métamorphose qui s'opérait en elle.

Fruit d'une mystérieuse chimie cellulaire, une larve était née dans son ventre et s'était nourrie de son sang, douillettement blottie dans ses entrailles. Et maintenant, la larve quittait le ventre de l'hôtesse !

Un symbiote, un parasite... une nouvelle espèce de vampire. Les mots se brouillaient dans l'esprit d'Eddie. Il savait seulement que c'était la première fois qu'une telle chose se produisait... du moins à sa connaissance.

Mais voilà soudain que le ver s'est dégagé complètement. Il se love comme un serpent et tombe en tas sur le sol. Adée recule en poussant un cri de dégoût et la petite tête du ver se pointe vers elle dans une attitude menaçante.

Eddie se redresse et l'horreur qui est en lui, un instant étouffée par l'excitation intellectuelle, ressurgit tout à coup. Il se saisit de la larve, l'agrippe par la queue, la brandissant à bout de bras, à la manière d'un fouet. Il la projette contre le mur de la cabane, et la tête éclate sous le coup porté avec une violence inouïe.

Rejeté au sol, le ver continue à se tortiller dans tous les sens, et Eddie l'achève en lui écrasant la tête d'un coup de talon.

Mais la plainte déchirante poussée par Adée, derrière lui, le fait se retourner d'un bloc.

— Bella...

De son côté aussi, la mort a fait son œuvre. Bella vient de rendre son dernier soupir, sa tête a roulé sur le côté dans une douloureuse expression de tous ses traits.

— Mon Dieu ! murmura Adée les yeux pleins de larmes.

Et sa main saisit celle d'Eddie.

Un long moment, tous deux restèrent ainsi devant le corps inerte et sans vie, incapables du moindre mot, du moindre geste, puis Eddie se secoua.

D'autres préoccupations, tout à coup, prenaient place dans son esprit. Il ne pouvait être question de ramener en ville le corps de Bella. Les agents de la Récupération auraient tôt fait de s'apercevoir qu'il s'agissait d'une mutante, une enquête aurait lieu qui ne pourrait que mettre en danger la petite équipe au sein de laquelle Bella avait vécu. Car la loi punissait sévèrement tous ceux qui prêtaient assistance aux dégénérés.

Il n'y avait donc qu'une solution, c'est-à-dire celle que l'on avait déjà employée pour Miria.

— Nous allons l'enterrer, décida Eddie.

Il prit une pioche et une pelle qu'il tendit à Adée puis chargea le corps de Bella sur son épaule. A une centaine de mètres de là, un trou fut creusé et, quand tout fut terminé, Eddie et Adée répandirent sur la tombe quelques pelletées de cendres et de mâchefer.

— Pauvre Bella ! dit simplement Adée qui avait ravalé ses larmes.

Eddie la regarda.

— Toi, dit-il, avec ton appareil, tu ne savais donc pas ?

Adée secoua la tête, un peu honteusement, comme quelqu'un pris en faute.

— Quand j'ai ce truc-là sur la tête, je ne sais plus très bien ce que je fais, avoua-t-elle. Bien sûr que je savais. Je savais seulement qu'elle avait quelques ennuis avec son ventre, mais je ne pouvais pas me douter de ce qui allait arriver. Je n'ai rien dit parce que Bella ne voulait pas que ça se sache.

— Et pour moi ? Tu savais aussi, n'est-ce pas ?

— Oui ; dès le premier jour, j'ai su que tu n'étais pas le fils du professeur Marchal. Je t'ai sondé dès que tu es arrivé chez nous.

— Et tu n'as rien dit non plus.

Adée ne répondit pas. D'un geste affectueux, Eddie lui tapota la joue.

— Adée, dit-il, tu es une chic fille, mais il y a des moments où tu vas un peu trop loin. Flanque-moi ce truc-là en l'air, veux-tu ?

— D'accord, soupira Adée, tu as peut-être raison. Mais on apprend quand même de drôles de choses avec cet appareil, tu sais...

— Adée, je t'en prie.

— Non, attends. Si je me suis trouvée ici, c'est parce que j'avais décidé de venir à ta rencontre. C'est à toi que je voulais en parler la première.

— Parler de quoi ?

— J'ai appris une chose bouleversante, ce matin.

— Que veux-tu dire ?

Adée eut une hésitation, comme si elle cherchait ses mots, puis :

— Un gars que j'ai sondé. Il n'habite pas très loin de chez nous. Il m'intriguait, ce gars, et puis, avec toutes les filles qui tournent autour de lui, je me suis dit que ça devait être un champion et que ça valait certainement le coup d'assister à une de ses...

— Au fait, veux-tu ?

— Bon, eh bien, je me suis branchée sur lui. Mais voilà que je suis tombée en pleine crise morale. Le gars était chez lui, en train de ressasser des tas de souvenirs. Au début, j'ai rien compris et puis, en forçant la dose, c'est venu. Je me suis bombardée en plein dans ses souvenirs. D'abord, ce type-là est comme qui dirait un peu dans ton cas. Liénard, qu'on l'appelle, mais c'est une fausse identité. Maintenant, c'est tassé, mais à une époque, on le recherchait pour avoir trafiqué une de ces drogues dont le Gouvernement a le monopole.

— Mais enfin, où veux-tu en venir ?

— J'y arrive. Quand je parle de ses souvenirs, je parle du temps où il accomplissait ses dix ans de T.O. dans un camp de dégénérés très proche de la Barrière. Tu sais, cette zone de radiations qui nous isole d'une contrée que l'on appelait autrefois l'Europe centrale. Il travaillait là-bas comme exterminateur. Mais dans ce que j'ai à te dire, c'est pas là l'important. L'important, c'est ce qu'il a découvert. Ce Liénard a réussi à franchir la Barrière. Oui, il est passé de l'autre côté.

— Tu plaisantes.

Adée secoua la tête.

— Pas du tout. Il y a une longue galerie souterraine, une faille intérieure qui a dû se produire pendant le Grand Bouleversement et que personne ne connaît. Et sais-tu ce qu'il a trouvé de l'autre côté ? Le paradis... Oui, le paradis !

— Qu'est-ce que tu racontes ? coupa Eddie avec un froncement de sourcils.

— Je ne plaisante pas. J'étais branchée sur ses souvenirs, je te dis, et j'ai « vu » en même temps que lui. Là-bas, il y a de l'herbe, il y a des arbres et du soleil... Plus de pollution, plus rien... C'est comme autrefois, je t'assure. Et voilà à quoi il pense, mon gars, à ce pays de rêve, Ça existe, je te dis que ça existe !

Elle eut un haussement d'épaules.

— Il a toujours gardé ça pour lui. Il n'a jamais rien dit à personne à cause de son passé, de crainte qu'on le reconnaisse. Mais il ne pense qu'à ça dans ses moments de cafard. Ah, bon Dieu, si tu pouvais seulement t'imaginer ce que j'ai « vu » !

Un instant, Eddie garda le silence. Il avait encore toutes les peines du monde à croire ce que lui racontait Adée. Se pouvait-il vraiment qu'il existât dans le centre de l'Europe une zone miraculeusement épargnée par le Grand Bouleversement ? *Et si cela était ?* Il n'osa pas aller jusqu'au bout de sa pensée, préférant revenir sur quelques détails.

— Comment a-t-il découvert ce passage ? Est-il vraiment le seul à le connaître ? demanda-t-il.

Adée inclina la tête.

— Oui, j'en suis certaine. Il a découvert le passage grâce à un plan qu'il a trouvé dans sa cave. Dans de vieux papiers enfouis sous des décombres. Cela datait des années 2020. Je suppose que ceux qui ont dressé ce plan sont morts sans avoir eu le temps de faire connaître leur découverte. Peut-être l'ont-ils fait, mais à cette époque-là, tout était encore désorganisé et il est possible que les choses soient tombées dans l'oubli. Quoi qu'il en soit, je puis t'assurer que ce Liénard est bien le seul à connaître l'existence de ce pays de rêve.

C'était, pour l'instant, tout ce que désirait savoir Eddie, mais déjà l'idée courait dans sa tête.

Il jeta un dernier regard sur la tombe de Bella, puis ramassa les outils et entraîna Adée.

Tous deux repartirent et s'enfoncèrent dans la grande plaine cendrée.

CHAPITRE XV

Il avait été impossible de cacher la vérité au sujet de Bella et la mort de cette dernière avait sérieusement ébranlé le moral de la petite équipe. Car, en fait, personne ne s'était douté de l'atroce réalité.

Il y avait eu Miria... et maintenant Bella. Deux de leurs compagnes disparues en si peu de temps, et dans des circonstances tout aussi tragiques. Mais les révélations d'Adée réveillaient toutes les curiosités et chacun prenait conscience brutalement de l'extrême nécessité qu'il y avait de parvenir à un but. Et ce but, c'était ce magnifique pays de rêve dont parlait Adée.

« L'instruction, c'est la liberté », leur avait souvent proclamé Eddie, mais la liberté, c'était aussi de parvenir à rompre avec cette société où le mot liberté ne pouvait s'entendre que dans un sens strictement pickwickien. Une liberté également organisée par les fabricants de pensées et les manipulateurs professionnels !

Et l'idée prenait corps petit à petit... Etait-il possible de créer un monde nouveau, *là-bas ?* Etait-il possible d'entreprendre une telle aventure, *là-bas ?*

Devant l'enthousiasme grandissant, Eddie s'interposa. Il fallait être certain, d'abord, de toutes les données rapportées par Adée, connaître l'endroit exact et avec tous les détails contenus dans le plan que possédait Liénard. Mais savait-on seulement où ce dernier cachait ce plan ?

— Adée, demanda Eddie, peux-tu intervenir sur l'esprit de Liénard ?

— Je n'ai encore jamais essayé d'intervenir en quoi que ce soit, avoua la jeune fille innocemment, je me suis toujours contentée d'assister aux pensées des autres. Mais je crois que oui, si j'arrive à me « libérer » complètement. Une fois installée dans son esprit, peut-être que...

— On va essayer. Tu vas provoquer les souvenirs chez Liénard. Si tu arrives à le dominer, ordonne-lui de reprendre le plan et de le consulter. Tu n'auras qu'à en retenir tous les détails.

— Et si je n'y arrive pas ?

— Fais ce qu'on te dit, bon Dieu !

Elle parut réfléchir.

— D'accord, accepta-t-elle. Mais je préférerais que vous le fassiez à ma place. Ces détails, vous pouvez les enregistrer vous-mêmes.

— De quelle façon ?

— Je peux brancher mon appareil sur un écran témoin. Ce que je « verrai », vous le « verrez » aussi.

— Tiens, tu ne nous avais pas dit ça, répliqua Fredo avec une pointe de reproche. Sacrée Adée, va !

Cette possibilité existait effectivement en la matière d'un petit bloc portatif qu'il suffisait de brancher sur le capteur encéphalien.

— Eh bien, allons-y ! décida Eddie.

Immédiatement, l'expérience commença. Adée s'installa confortablement sur son lit, ajusta le casque télépsychique et en régla elle-même les délicats mécanismes.

Des éclairs multicolores commencèrent à zébrer la surface de l'écran, tandis qu'Adée, détendue, cherchait à établir le contact mental avec Liénard. Une partie de son moi se dégageait de son enveloppe charnelle, s'évadait dans l'espace à la recherche du point de contact.

Cela dura une minute ou deux puis, au geste qu'elle fit, tous comprirent qu'elle avait atteint son objectif. Elle venait brusquement de se brancher sur l'esprit de Liénard.

— Il est chez lui, murmura-t-elle comme dans

un souffle, les yeux clos et les narines pincées. Il mange, et je vois très bien ce qu'il mange.

Elle s'arrêta de parler tout à coup, comme si parler exigeait un trop gros effort physique.

Et voilà qu'en même temps des images floues commencent à danser sur l'écran. Images déformées, rapides, enchevêtrées. Les tentatives d'Adée pour suggestionner Liénard exigent une tension d'esprit assez pénible, mais l'image, qui soudain se précise sur l'écran, témoigne de leur réussite.

Un décor champêtre apparaît avec des couleurs vives, presque irréelles. Un coin de paysage fixé dans les souvenirs de Liénard... Un soleil flamboyant dévore le ciel.

D'autres souvenirs... Ici, une plaine immense marquetée de boqueteaux et de futaies... Là, une rivière paisible coulant entre de verts pâturages... Là encore, une nappe d'eau d'un bleu profond... Et aussi des villes, d'anciennes villes mortes, détruites, abandonnées, la plupart submergées par de luxuriantes végétations.

Toutes ces images donnent le vertige... Comme la découverte d'une planète inconnue ! Ainsi donc, ce pays existe vraiment !

— Maintenant..., halète Eddie, maintenant, Adée... La carte... Oblige-le à retrouver la carte.

Brouillage.

Collines, forêts, ruisseaux... disparaissent... Réapparaissent...

Brouillage.

L'image fugitive d'un plan dans la pensée de Liénard... Le flux mental d'Adée provoque le souvenir... le souvenir de la carte !

Brouillage...

A présent, c'est le décor *réel* de la pièce où se trouve Liénard... les murs, les meubles... le repas sur la table...

On sort de la pièce... et tout se déroule par les yeux mêmes de Liénard... L'escalier qu'il descend... une porte qu'il ouvre... une cave... des caisses et, dans les caisses, des papiers...

Liénard soulève une caisse, une autre, une autre encore, cherche, hésite. Et puis, tout à coup, il se retourne... Balayage des lieux dans le champ visuel suivi d'un éclair fulgurant.

Et en même temps que l'éclair, le cri, l'immense cri de douleur poussé par Adée.

Un noir sur l'écran...

Grésillements...

— Adée, que se passe-t-il ?

Tous s'étaient précipités vers la jeune fille qui haletait douloureusement. D'un geste sec, Eddie coupa les contacts, puis débarrassa Adée du capteur encéphalien. Elle rouvrit péniblement les yeux tandis que son corps était secoué d'un long frisson. Une sueur moite lui imprégnait les tempes.

— Adée, reviens à toi, intervint Rubi, qu'y a-t-il ?

La jeune fille aspira une goulée d'air. Son cœur battait à tout rompre, ce qui indiquait que le « choc » avait dû être rude.

— Ah, bon Dieu ! souffla-t-elle, j'ai cru mourir.

Mourir... Il y avait une inflexion étrange dans sa voix... *Mourir*... N'était-ce pas, en effet, l'impression qu'elle avait ressentie dans le corps de Liénard ?

Et si Liénard était mort ?

— Allons, calme-toi ! reprit Eddie, tu n'as plus rien à craindre.

Il s'était passé quelque chose, dans la cave. Mais quoi ? Qu'est-ce qui avait bien pu provoquer la mort de Liénard ? Car Liénard était mort, Eddie en était certain. Et l'esprit d'Adée avait supporté tout le choc de cette brutale cassure. Et juste au moment où...

La rage au cœur, Eddie se dirigea vers la « pharmacie », prit un calmant et l'apporta à Adée qui commençait à reprendre ses esprits.

Au bout d'une heure, son état n'inspirait plus aucune inquiétude ; seule une légère angoisse subsistait au fond d'elle-même. Et déjà les commentaires allaient bon train lorsque la porte de la salle commune s'ouvrit, livrant passage à Mhax.

Le rouquin était équipé de son petit translateur anti-g et de son fusil à lunette. Il avait dû profiter de la nuit pour descendre de ses hauteurs et gagner les caves de Fredo.

— Salut, les gars ! lança-t-il avec un sourire. Navré d'interrompre vos conversations, mais...

Il désigna Eddie.

— ... C'est le toubib que je viens voir.

Il montra son épaule droite rouge de sang.

— Eh là ! Qu'est-ce qui t'arrive ? s'informa Pistache avec une grimace. T'as reçu du plomb ?

— Ouais, les flics... Ah, cette fois, ils ont bien failli m'avoir. Mais rassurez-vous, ils ont perdu ma trace. Allez, toubib, vite, grouille-toi !

Déjà, Eddie s'amenait avec des pansements. Il mit l'épaule à nu et, rapidement, commença à nettoyer la plaie, laquelle, heureusement, était sans gravité. La blessure n'était que superficielle.

— Comment est-ce arrivé ? demanda le « curé » en s'approchant à son tour.

— Bah, j'étais pas très loin d'ici. Je revenais d'une « liquidation » quand les flics me sont tombés dessus. Ouais, on s'est cogné dans le brouillard. Tu parles d'une corrida... Enfin, je m'en suis tiré, c'est le principal.

— Et ton oiseau, tu l'as eu ?

— Je pense bien. Dans sa cave, je l'ai piqué,

en train de fouiller dans des caisses. Ah, je l'ai pas loupée, cette ordure !

D'un coup, tous s'étaient redressés.

— De qui tu parles ? demanda Eddie avec un froncement de sourcils.

— Quoi ? L'ordure ? Un nommé Liénard. François Liénard. Eh ben, quoi, qu'est-ce que vous avez tous à me regarder comme ça ?

Rubi s'était avancé.

— Alors, c'est toi qui as descendu Liénard ? Bravo, tu as décidément tapé dans le mille. Ah, pour ça...

— Eh, qu'est-ce que ça veut dire, tout ça ?

— Explique-lui, Fredo ; après tout, il a le droit de savoir.

— C'est juste.

Alors Fredo fit le point de la situation, expliqua toute l'histoire, laquelle, évidemment, aboutissait à Liénard. A la « liquidation » de Liénard !

Le pansement achevé, Mhax resta un instant comme assommé sur place. Toutes ces révélations sur... Ah, bon Dieu, il ne s'attendait pas à ça, le grand Mhax.

— Ah, ça, alors, s'exclama-t-il. Comment pouvais-je savoir, moi ? J'étais payé pour liquider ce Liénard, ce fumier de Liénard. Ouais, un fumier qui, pendant les Fêtes, se planquait derrière sa fenêtre pour cartonner sur des gars qui ne demandaient rien à personne. Trois filles qu'il a bousillées, comme ça, ce salaud !

Les voisins l'avaient repéré, mais aucun n'a eu le courage de le buter. Alors, moi, je l'ai fait.

Il haussa les épaules en se rendant compte que son histoire n'intéressait personne. Il essayait seulement de justifier son geste.

— C'est la carte qu'il nous fallait, lança Pistache avec une grimace. Où est-ce qu'on va la retrouver, maintenant, cette carte, hein ?

— Ben, à l'endroit où il était en train de fouiller, répliqua Mhax.

— Oui, mais faut-il encore...

— Ça va, je m'en charge.

Il reprit son fusil, tout en grommelant entre ses dents.

— Chialez plus, je vais vous la ramener, cette carte. Je la trouverai, je vous dis.

— Mhax, fais attention.

— Rien à craindre, laissez-moi faire.

Sans un mot de plus, il sortit de la pièce.

Au bout d'une heure, il revenait.

Le sourire aux lèvres.

La carte dans sa main.

Il dit simplement :

— Bon Dieu, cette épaule me fait mal. Z'avez pas un coup à boire ?

CHAPITRE XVI

— Celia, je t'en prie, essaie de comprendre.

Brouillard sur la ville... sur la ville grise...

— Là-bas, c'est différent, Celia... il y a de l'air pour respirer, il y a du soleil et de l'herbe... Il y a aussi la liberté.

Foule grise dans le brouillard de la ville grise... Longue foule conditionnée insensible, inhumaine... nourrie de « motivations », de « slogans ».

Slogans, haine, violence...

Haine, slogans, violence...

Violence, haine, slogans...

Le bruit de la ville, l'odeur de la ville, par la fenêtre grande ouverte.

— Nous avons cette chance, cette chance inespérée, Celia. Il faut que tu comprennes.

Eddie expliquait tout, jusqu'au moindre détail. Tout avait été minutieusement préparé. On avait eu le temps pour ça. Fredo avait trouvé des volontaires : des garçons, des filles d'un autre groupe, et qui avaient toute sa confiance. Gagnés par le même espoir, le même but, la même volonté de survivre dans la paix et la liberté, ceux-là aussi, acceptaient l'aventure.

Ils étaient vingt au total. Pas énorme, bien sûr, mais vingt, c'était vingt. Et ces vingt-là, plus tard, feraient du nombre.

Ce serait dur, au début, mais on emporterait le nécessaire : des outils, des médicaments, de quoi s'habiller et de quoi faire du feu. Mais on emporterait aussi toutes les précieuses découvertes provenant de la Ville Morte : les toiles de maîtres, roulées dans des gaines de plastique, les disques, les cassettes et les livres. Surtout les livres. On en avait des pleins sacs, des livres. Toute la pensée de l'humanité depuis Hérodote, depuis Ovide...

— Il y a aussi de la place pour tes amis, ajouta Eddie. Le repli sur soi-même est une lâcheté, Celia. L'homme n'est pas fait pour la résignation. Vous êtes dans l'erreur.

— L'erreur est *dans* l'humanité, Eddie, elle l'accompagne depuis l'aube des temps. On ne construit pas sur une erreur.

— Alors, c'est à toi que je m'adresse. A toi seule. Pense à nous deux. Là-bas, rien ne s'opposera à notre bonheur, sauf que jamais je ne pourrai te faire un enfant. Les enfants qui naîtront, là-bas, seront élevés par leurs parents. Nous rétablirons la famille, comme autrefois. Mais ça, c'est une chose qu'il me sera impossible de t'offrir.

Elle parut visiblement choquée par ces paroles, mais il enchaîna presque aussitôt :

— C'est moi qui ai demandé au docteur Marchal d'être stérilisé. A cause de ma mère, tu comprends... à cause de mes gènes... Je ne voulais en aucun cas transmettre cette hérédité, même si les chances sont plus ou moins faibles. Mais tu connais la loi de Mendel, n'est-ce pas ? Pour les autres, un maximum de précautions a été pris également. Les cartes individuelles nous affirment qu'aucune tare familiale n'a été enregistrée depuis quinze générations, ce qui remonte à peu près à l'époque où ont été établis les premiers contrôles génétiques. D'un autre côté encore, ils ont tous franchi le stade de la puberté. Ils sont donc à l'abri des mutations du type « accidentel ».

— Mais, Eddie, se récria Celia, il ne s'agit pas d'un enfant. Je n'ai jamais pensé à ça, entre toi et moi.

— Mais alors, bon sang, qu'est-ce qui t'empêche ?

Il la prit par les épaules, le visage enflammé tout à coup.

— Tu ne m'aimes donc pas ? Réponds...

— Eddie, je t'en prie, ne me pose pas cette question.

— Pauvre folle ! Tu n'es que le jouet de toutes ces stupidités qu'on t'a mises dans le crâne. Mais réagis, bon Dieu ! Tu refuses de m'aimer en détruisant tous les sentiments qui sont en toi. Tu ne penses qu'avec ton cerveau, comme tous ces théoriciens sans cœur et sans âmc. Mais pensc donc aussi avec ta chair, tu es un être humain, Celia, tu es une femme. Et tu es vivante... Vivante !

Il sentit qu'elle faiblissait dans ses bras. Il devina une larme dans ses yeux, mais la larme n'arriva pas jusqu'à la paupière. Celia, encore, se débattait dans son vertige.

— Celia, mon amour, réponds-moi, je t'en supplie... Il me faut ta réponse. Nous devons partir.

Il la serra plus étroitement contre lui. Dans son trouble, elle releva la tête et il l'embrassa farouchement. Un instant, ils restèrent ainsi, l'un contre l'autre, les yeux clos... puis Celia se dégagea.

— Il m'est impossible de te suivre, Eddie, répondit-elle d'une voix qui tremblait légèrement. J'ai encore une mission à accomplir. Je ne puis faillir à ma parole.

— Celle que nous accomplissons est cent fois plus importante, Celia.

— Si je renonçais, ce serait trop grave pour les autres. Je ne peux pas t'expliquer, mais...

— Bon, très bien, je puis encore retarder le départ. Combien de temps te faut-il ?

— Je n'en sais rien. Peut-être trois semaines ou un mois.

Eddie sentit son cœur se serrer. Un désespoir immense était en lui.

— Je ne pourrai pas, dit-il. Pas tout ce temps, c'est impossible.

— Alors, pars, pars, puisque tu l'as décidé.

Cette fois, une larme perla, discrètement, au coin de sa paupière.

— Pars, répéta-t-elle en réprimant un sanglot.

La mâchoire d'Eddie se crispa.

— Très bien, dit-il, je vais partir. Mais je reviendrai, Celia, je te le jure. Je reviendrai te chercher. Je te sauverai... malgré toi s'il le faut, mais je te sauverai. Parce que je t'aime, tu entends ? Je t'aime.

— Eddie...

Gagné par une émotion violente, incapable de prononcer un mot de plus, Eddie sortit de la chambre.

Il reviendrait, oui, il n'abandonnerait pas Celia, il reviendrait même au péril de sa vie... Il n'aurait de trêve tant qu'il n'aurait pas arraché Celia à ses contraintes psychologiques.

Il connut pourtant un grand vide à l'intérieur de lui-même, à la pensée d'accomplir le voyage sans elle. Mais il se raisonna, se raccrocha à ses décisions et regagna les caves.

*
* *

Lorsqu'il y parvint, la nuit tombait et la petite équipe était déjà prête au départ. Quatre voitures avaient pu être réunies et les bagages achevaient de s'entasser dans les coffres.

Mhax était là, lui aussi, mais quelque peu hésitant sur la conduite à prendre. L'aventure ne lui déplaisait pas, mais Mhax était un indépendant, en quelque sorte un solitaire profondément marqué par l'aventure personnelle. Il demandait à réfléchir, mais apportait toutefois sa contribution dans cet exode en tant que convoyeur et protecteur du groupe. Une fois arrivé à destination, il aurait en effet tout le temps de prendre sa décision.

— Maintenant, écoutez-moi bien, déclara Fredo en étalant une grande carte devant lui.

Il tenait à refaire le point avant le départ et, de son crayon, indiqua le long itinéraire qui passait par la vallée du Rhône, franchissait les Alpes, contournait la Suisse pour aborder, au-delà de la Barrière, une région inconnue.

Une région de l'ancienne Europe qui, autrefois, s'appelait l'Autriche.

CHAPITRE XVII

C'était un très, très long voyage.

Afin de ne pas trop attirer l'attention, les quatre véhicules avaient quitté la ville séparément, chaque conducteur suivant scrupuleusement l'itinéraire établi.

Ce n'est qu'à l'approche de l'aurore que les craintes s'apaisèrent. On avait franchi la zone méditerranéenne avec ses différents secteurs réservés à la population. D'autres secteurs existaient dans le nord, au-delà d'une ville qui s'était appelée Lyon, avant le Grand Bouleversement.

Mais jusque-là il fallait franchir un long désert monotone et triste envahi de cendre et de lave solidifiée. La route filait à travers ce *no man's land,* seule voie d'accès reliant les secteurs nord aux secteurs méditerranéens.

Mais le trafic assez intense qui régnait sur cette voie avait incité Fredo à choisir d'anciennes routes, depuis longtemps abandonnées, et ne subsistant que par l'initiative de quelques groupes de chasseurs qui, à la belle saison, entreprenaient des « safaris » dans des zones devenues le refuge de monstrueuses espèces mutantes.

On y trouvait des reptiles à tête de chat, des bœufs zébrés et des poissons volants ayant leur nid au sein de marécages pestilentiels. Et le commerce de ces chasses rapportait, disait-on, beaucoup d'argent, par le fait que certaines viandes étaient fort appréciées des gourmets.

Mais l'entretien de ces routes secondaires laissait beaucoup à désirer. Parfois, le sol s'effondrait sous le poids des véhicules et tout le monde devait descendre pour pousser et dégager les roues à demi enfoncées dans le sol friable.

Mais le convoi poursuivait sa route, inlassablement, kilomètre après kilomètre, s'obligeant parfois à des détours entre les fondrières et les marécages qui menaçaient d'engloutir les véhicules.

Les jours qui suivirent se déroulèrent sans incident, à part quelques brutales apparitions de papillons géants et terriblement carnassiers qu'attirait l'odeur des humains. Quelques rafales bien ajustées eurent rapidement raison de ces créatures, dont les corps brisés et abattus devenaient aussitôt la proie des reptiles à tête de chat. Ceux-là agissaient en véritables nécrophages, comme les hyènes d'autrefois.

Les Alpes franchies, les routes se perdirent dans la rocaille, tandis que du sol crevassé s'échappaient de lourdes vapeurs sulfureuses. On ne pouvait que revenir sur la seule voie d'accès qui permettait d'atteindre la réserve dans laquelle avait travaillé François Liénard.

Il fallait donc traverser une partie de cette zone pour atteindre la faille souterraine qui franchissait la barrière de radiations. Certainement la partie du voyage la plus dangereuse, si on en jugeait par les indications qui accompagnaient le plan de Liénard.

Isolée du reste du monde, cette zone recelait effectivement de nombreux mutants du type A, dont la monstruosité physique atteignait un tel degré d'horreur que les Centres d'étude refusaient de les admettre dans leurs limites territoriales. Ils vivaient là, livrés à eux-mêmes, et dans un complet état de barbarie.

C'est ainsi que des chasses s'organisaient, avec l'accord du Gouvernement, lequel encourageait d'ailleurs cette forme d'extermination qui avait en même temps l'avantage de procurer aux chasseurs toutes les joies d'un banal et classique « safari ».

Ainsi, les jeunes émigrés ne tardèrent pas à

assister à une « chasse aux mutants » du haut d'un petit monticule où ils s'étaient réunis afin de prendre de nouvelles dispositions quant à l'itinéraire à suivre.

Bien camouflés derrière les rochers, et armés de leurs jumelles, ils virent des humains traquer un groupe de dégénérés qui, débusqués de leur refuge, s'enfuyaient sous le crépitement des armes automatiques. Les malheureuses créatures tombaient, sous les balles meurtrières, d'autres, atteintes par des rafales thermiques, étaient réduites en un tas de cendres que les vents dispersaient aussitôt.

C'était horrible. Et Mhax fut le premier à s'insurger devant une telle abomination.

— Les sales petits bourgeois, gronda-t-il en serrant son arme dans ses mains puissantes. C'est eux qui mériteraient qu'on les bute. Ah, bon Dieu, si je ne me retenais pas...

— Reste tranquille, conseilla Fredo, il se pourrait que nous soyons bien obligés d'en faire autant.

Il ne se trompait malheureusement pas, car à la halte du soir, le camp fut soudainement envahi par une horde de mutants armés d'épieux et de lance-pierres. Ils croyaient certainement avoir affaire à des chasseurs et venaient venger leurs morts dans une mêlée sauvage et impitoyable.

Un jeune de l'équipe tomba, la tête fracassée par un coup d'épieu et l'on dut faire usage des armes automatiques pour repousser la horde hurlante et menaçante. Quatre créatures tombèrent, frappées à mort, et les autres n'échappèrent au massacre que par une fuite rapide et désespérée.

Tout le monde s'était précipité vers le jeune garçon que le coup fracassant avait atteint au niveau du cervelet, mais la mort avait déjà fait son œuvre.

— Pauvre gars ! murmura le « curé » en se signant.

Mais sa douleur venait aussi des autres créatures qui gisaient dans la rocaille. Bêtes humaines aux doigts griffus et dont les têtes à bec-de-lièvre étaient l'image même de l'Horreur ! L'image aussi de la folie des hommes. Une folie qui remontait déjà loin dans le temps. Depuis Seveso !

— Demain, ce sera terminé, annonça Eddie après avoir consulté la carte. Demain, nous atteindrons la Barrière. Nous ne verrons plus ces choses ; il ne faudra surtout pas que ça recommence...

***

La ceinture de radiation qui marquait les limites du Monde Nouveau se dressait à l'horizon comme un grand mur de fumée. C'était du moins l'impression que l'on ressentait devant ce long rideau mouvant où s'accumulaient les poussières radioactives, mêlées à des émanations de scories et des vapeurs délétères.

Personne n'avait encore jamais trouvé le moyen de franchir cette barrière qui, par le jeu des vents, des dépressions atmosphériques et des bouleversements géologiques, formait comme une vaste ceinture à l'intérieur même de l'ancienne Europe.

Au-delà de ce rideau infranchissable, c'était l'inconnu. Un monde pratiquement « imaginaire » qui échappait à la nouvelle humanité.

Déjà, les compteurs Geiger accusaient un taux de radiations dépassant la cote d'alerte. Le passage souterrain n'était pas très loin et, vers la fin de la matinée, Pistache et Rubi, qui marchaient en éclaireurs devant les voitures, en repérèrent l'ouverture sous un amoncellement de roches volcaniques. Les indications portées sur le plan ayant été suivies à la lettre, on ne pouvait donc pas se tromper.

Mais il fallait maintenant abandonner les voitures et continuer à pied tout au long des cinquante kilomètres qu'exigeait le long parcours souterrain.

Sur l'ordre de Fredo, trois véhicules furent détruits, le quatrième devant être conservé pour le retour d'Eddie. Mais l'entêtement de ce dernier suscitait quelques désapprobations et c'est un peu à contrecœur que Fredo accepta de camoufler le véhicule derrière un tas de rochers. C'était dangereux de laisser des traces, mais il se devait pourtant de respecter les décisions de son jeune compagnon.

— En avant, dit-il.

La longue file s'engagea alors dans les éboulis. Les sacs étaient lourds, ce qui rendait la marche plus pénible encore, d'autant que la galerie était étroite et toute suintante d'humidité.

Cette première journée fut terriblement épuisante et lorsqu'on s'arrêta pour bivouaquer, on réalisa que l'on avait à peine franchi quatre kilomètres. On se trouvait exactement *sous* la Barrière, à la frontière même du connu et de l'inconnu.

Les poches lumineuses que l'on avait déjà trouvées dans la Ville Morte existaient également dans cette galerie, ainsi que d'autres espèces mutantes réfugiées là par on ne savait quel caprice de la nature. Des formes sans nom, ailées ou rampantes, se disputaient leur espace vital.

De pseudo-crapauds à longue queue se vautraient dans des nappes d'eau creusées dans l'évasement des grottes, qui maintenant apparaissaient de plus en plus larges, de plus en plus hautes. Les hideuses créatures, toujours à l'affût, attendaient patiemment qu'une larve multipatte fasse son apparition dans le bourbier pour sortir de leur apathie. Alors, un pseudo-crapaud s'élançait et la mordait au point vital. Et dès que la larve était morte, c'était la curée. Tous les pseudo-crapauds se jetaient sur le corps flasque et mou et le dévoraient en un clin d'œil.

Au quatrième jour du voyage, apparurent soudain de grosses créatures ressemblant à des langues. Des langues humaines. Epaisses, molles, gluantes. Il y en avait dans une grotte plusieurs dizaines, animées de mouvements reptiliens désordonnés, fuyant au hasard dans un frémissement de chair molle et lourde. Certaines pourtant essayèrent d'attaquer les humains en leur décochant des jets de salive empoisonnée. Fort heureusement, le venin n'était pas très corrosif, occasionnant seulement quelques vives réactions de l'épiderme. Les onguents et les pommades faisant partie des réserves pharmaceutiques eurent vite raison de ces douloureuses démangeaisons.

Ce fut là une des dernières manifestations de la vie dans le long boyau souterrain. Dès lors, il n'y eut plus que la roche dure et les ténèbres.

Et ce fut ainsi pendant les nuits et les jours qui suivirent, jusqu'à ce qu'enfin apparaisse la trouée lumineuse indiquant le terme du voyage.

Tous se ruèrent vers cette lumière éclatante qui agissait sur eux comme un aimant.

Ils quittèrent le boyau et sortirent, découvrant enfin ce « merveilleux pays du bout du monde ». Et « merveilleux » n'est pas un vain mot.

D'abord, il y a le soleil, un soleil énorme et chaud, dans un ciel bleu sans nuages. Un soleil et un ciel comme personne n'en a jamais vu depuis le Grand Bouleversement.

Et puis la vaste étendue herbeuse qui s'étale au creux de la vallée. Une herbe verte piquetée de petites graminées jaunes... Et si douce...

Végétaux de toute nature, arbres, sains, vigoureux, dont le feuillage ondule mollement sous la caresse du vent. L'air lui-même est d'une douceur extraordinaire, chargé de parfums légers.

Durant des heures et des heures, garçons et filles poursuivent leur marche au hasard dans cet émerveillement qui les fait encore douter de la réalité des choses. Et pourtant, non, il ne s'agit pas d'un rêve. Ici, la Nature a repris ses droits dans une libération totale, avec le cri d'un oiseau dans la futaie, les circonvolutions du lierre et du chèvrefeuille autour des troncs noueux, des rochers couverts de mousse, le tiède et serein épanouissement de l'aubépine et de l'églantier, les petits lézards mordorés courant dans la houle des frondaisons, le rire cristallin d'un ruisseau cascadant vers une nappe d'eau, les halliers bruissant de vies furtives, grimpantes ou sautillantes.

— C'est ici que nous établirons notre petite communauté, déclara Fredo en désignant la longue vallée dans laquelle on venait de s'engager. Nous avons le temps pour connaître et visiter le pays. Maintenant, ce pays est à nous.

Puis il regarda Eddie.

— Tu as toujours l'intention de revenir et de ramener Celia ?

— Je vais repartir. Immédiatement.

— Tu penses vraiment que cela en vaut la peine ? demanda le « curé ».

— Et que tu réussiras à la convaincre ? ajouta Rubi sur le même ton.

— N'insistez pas. C'est une chose dans laquelle vous n'avez pas le droit d'intervenir.

— Très bien, acquiesça Pistache. Fais donc selon ta volonté, mais sois prudent.

— N'ayez crainte, déclara Mhax, je pars avec lui. Je le raccompagnerai et je le ramènerai. Avec Mhax, ajouta-t-il en riant, il n'y a aucun souci à se faire.

— Soit, accepta Fredo, mais il y a quand même une précaution à prendre. Ce passage pourrait être découvert un jour, et ça, nous devons l'éviter à tout prix. Un paradis, quel qu'il soit, n'est pas à l'abri des démons. Aussi voilà ce qu'il convient de faire. Nous allons placer des charges explosives à l'entrée du souterrain. En calculant bien, il vous faut quinze jours pour aller et autant pour revenir. Quinze jours, c'est le temps que nous avons mis pour arriver jusqu'ici. J'ajoute un jour comme marge supplémentaire car il peut vous arriver des ennuis. Il se peut aussi que vous soyez contraints de ne plus revenir, ou que vous laissiez la vie dans cette aventure pleine d'embûches et de dangers. Nous ne pouvons pas prendre le risque que le passage soit découvert. N'oubliez pas que les agents du Gouvernement ont des méthodes bien au point pour délier les langues les plus récalcitrantes. Les drogues dont ils usent ont déjà fait leur preuve. Alors, dans trente et un jours très exactement, nous ferons sauter le passage. Est-ce que tout le monde est d'accord ?

Les bras se levèrent dans une approbation totale.

— Allez, maintenant, appuya Adée en s'avançant. Et si Dieu existe, qu'Il soit avec vous !

Tandis que Mhax s'empressait de réunir quelques bagages, elle ajouta dans un souffle, à l'adresse d'Eddie :

— Souviens-toi, Eddie... Compte les jours... Je les compterai aussi... Trente et un, pas un de plus !

CHAPITRE XVIII

Ainsi allèrent les choses.

Au matin du quinzième jour, Eddie et Mhax arrivèrent en vue de la ville grise, bruyante et surpeuplée.

Le voyage de retour s'était effectué sans trop de mal et les deux garçons avaient pu éviter une fois encore les mille petits dangers jalonnant ce long parcours qui, à la longue, prenait l'aspect d'un véritable calvaire. Mais ni l'un ni l'autre ne s'était plaint, luttant de toutes leurs forces pour respecter les délais impérativement fixés par Fredo.

On disposait donc d'une journée, d'une seule, pour convaincre Celia et prendre avec elle toutes les dispositions qui s'imposaient pour le retour. Car le voyage serait encore long et pénible. Aussi fallait-il se hâter et ne rien laisser à la légère.

C'était Mhax qui en parlait ; lui, l'indépendant, le solitaire, qui maintenant s'était rangé du côté des émigrés. Il avait fait son choix, le grand Mhax, et il n'avait plus qu'un désir : celui de revenir parmi les autres. Dans ce pays où il y avait de l'herbe et du soleil !

— Mais je vais quand même pas abandonner comme ça, dit-il alors qu'on pénétrait dans la ville. Il y en a un que je veux me payer avant de tirer le rideau. Rien qu'un seul.

Eddie essaya bien de le faire revenir sur sa décision. Ce n'était pas le moment de penser à ça, bon Dieu ! Mais tout ce qu'il pouvait dire n'aboutissait à rien. Mhax voulait son homme. Un petit fumier, disait-il, qui avait lâchement assassiné un de ses vieux amis, peut-être le meilleur qu'il ait jamais eu.

Celui qu'il pourchassait n'en était pas à son premier coup. Il avait déjà eu quelques démêlés avec la police, mais la justice de ce monde n'était qu'une parodie de justice, et le juge lui-même qu'un fantôme de juge ! Et le spécieux n'avait infligé qu'une courte peine à cet assassin qui méritait cent fois la mort.

— J'ai commencé par le juge, avoua Mhax. Je l'ai buté parce que, s'il avait fait son devoir, mon copain serait encore en vie, tu comprends ? Ça, je pouvais pas l'avaler... Maintenant, il reste l'autre fumier, et celui-là, je le veux aussi.

Mhax alluma une cigarette puis haussa les épaules. **Hargneux.**

— Nous en sommes arrivés à un stade où tout est pourri, grogna-t-il. La justice est pourrie, les flics sont pourris, le gouvernement est pourri, les idées sont pourries. Il n'y a rien de propre dans ce monde. Pognon, relations, endoctrinement des masses, travail obligatoire et conditionné, euthanasie plus ou moins contrôlée... « safaris » pour mutants. Oui, maintenant, j'ai compris beaucoup de choses depuis que je vous écoute parler. Il faudra que je les lise, vos livres, peut-être que ça m'aidera à mieux comprendre. Mais, tu vois, je vais te dire une chose. C'est aussi par révolte contre la société que je suis devenu « liquidateur ». Mais j'ai jamais tué que des fripouilles, tu sais, parce que je m'insurge, moi, contre ces fripouilles en liberté. Font pas leur boulot, les flics et les hommes de loi, tout le monde s'en fout. Alors, moi, je dis une chose : la science invente des trucs pour nous préserver des microbes dangereux, on tue les insectes et les animaux nuisibles, on tue même les chiens errants qui ne font de mal à personne, mais on ne fait pratiquement rien contre cette vermine humaine qui infeste la société. Et quand il s'agit d'en zigouiller un, c'est une affaire d'Etat ! Je comprends pas, moi. Qu'est-ce qu'il en a à foutre du sérum de Pasteur, le type qu'on assassine au coin d'une rue, hein ? Et je vais te dire mieux. Je suis certain que si on faisait les bilans, le crime serait cent fois supérieur aux maladies épidémiques. Ajoutes-y les massacres et les génocides, et tu verras, mon frère, qu'à côté de la zigouille, les microbes c'est de la gnognote. Voilà l'épuration, elle est là : débarrasser la société de toute cette vermine à deux pattes ! Mais ça, ils ne le feront jamais. C'est trop tard, maintenant.

C'était en effet une excellente solution mais, avant d'en arriver là, et comme le pensa Eddie, c'était toute la société qui était à refaire. Une société qui « fabriquait » elle-même les assassins et qui s'auto-détruisait sous le poids de l'injustice, de la violence et de la haine. Mais le moment était mal choisi pour discuter de ces choses, d'autant que l'on avait maintenant atteint le centre de la ville et que Mhax, toujours entêté dans sa décision, commençait à repérer les lieux.

Son homme n'habitait pas très loin de là, dans un immeuble qu'il désigna après qu'Eddie, sur son geste, eut arrêté le véhicule. Il pleuvait et le brouillard s'était fait de plus en plus dense. Les gens couraient sous la pluie, anonymes et étrangers, insensibles à la ronde incessante des véhicules.

— Est-ce qu'il ne vaudrait pas mieux tout d'abord retrouver Celia ? fit Eddie qui cherchait un moyen d'éviter cette histoire. Mhax, tu auras tout le temps jusqu'à ce soir.

— Gare-toi sur la piste de gauche, veux-tu ?

Eddie obéit à contrecœur. Un mauvais pressentiment était en lui. Mhax prit son sac et descendit de voiture.

— Inutile de perdre du temps, dit-il. T'occupe pas et laisse-moi faire.

Il sortit un carnet de sa poche, le feuilleta puis en déchira une page qu'il tendit à Eddie.

— Occupe-toi de Celia. On se donne rendez-vous à 16 heures. Tu téléphones à ce numéro, c'est un copain à moi. Je vais le voir. Il te dira l'endroit.

— Fais attention, Mhax.

Mhax eut un sourire, tapota l'épaule d'Eddie et tourna le dos. Eddie le regarda filer sous la pluie, puis remit le contact et prit la direction du faubourg est.

*
* *

Maintenant, il ne pensait plus qu'à Celia, repassant dans sa tête tous les mots, toutes les phrases qu'il avait préparés pour la convaincre, espérant beaucoup, d'autre part, de leur longue séparation, la solitude dans l'amour étant ce qui convient le mieux à la réflexion et aux dispositions du cœur et de l'esprit.

Oui, Celia avait dû réfléchir, et il l'imaginait déjà prête au départ, heureuse et comptant les jours, les heures, les minutes. Chose vraiment singulière que la joie maligne d'un esprit dans les triomphes de l'imagination !

Mais, lorsque Eddie atteignit l'immeuble où demeurait Celia, un serrement de cœur raviva ses craintes. Le malaise à nouveau était en lui, brusquement, le même mauvais pressentiment qu'il avait connu au moment de quitter Mhax.

L'appartement de Celia était vide, et le malaise s'accentua lorsqu'il apprit par une voisine que la jeune fille n'était pas rentrée chez elle depuis trois jours. La même réponse lui fut donnée lorsqu'il appela le Centre de Rééducation où elle travaillait. Depuis trois jours encore, Celia n'avait pas donné signe de vie. Et la voix s'insurgeait contre cette façon d'agir, il y aurait des sanctions, et lui-même interviendrait pour qu'elle soit...

Eddie raccrocha et regagna sa voiture. Désemparé, la tête folle. Et puis, l'idée lui vint de filer jusqu'au refuge des adeptes du Renoncement. Les amis de Celia sauraient sans doute lui dire quelque chose. Eux devaient savoir, il en était certain.

Il mit plus d'une heure pour faire le trajet et lorsqu'il arriva devant l'infâme bâtisse noyée de brume et de pluie, son cœur se remit à battre. C'était vraiment là son dernier espoir.

Il ouvrit la porte, entra dans le couloir et

appela. Mais le silence seul lui répondit. Un silence lourd comme celui des maisons vides.

Et voilà Eddie dans l'escalier, répétant son appel dans le silence glacé. Premier étage... Une porte entrebâillée.

La main tremblante d'Eddie sur la porte qui s'ouvre, toute grande... Et puis c'est l'affreuse réalité qui brusquement le paralyse sur place.

Comment est-ce possible ? Tous ces corps affaissés, recroquevillés dans la mort... garçons et filles gisant l'un à côté de l'autre dans la pièce sombre et triste.

Le poison est encore sur la table. Flacon débouché. Vide.

Mais il y a aussi Celia. Celia dans sa robe verte, renversée sur le dos et les mains crispées sur sa poitrine. Sa chair morte a déjà la couleur de la cire... Sur son visage, l'expression figée d'un abandon total.

— Celia !

Le regard fou d'Eddie reste fixé sur Celia... Mon Dieu, pourquoi ? Pourquoi a-t-elle fait ça ?

Des larmes coulent sur son visage et il répète :

— Celia... Celia... Celia...

Ainsi, elle avait souhaité la mort. Elle l'avait attendue comme les autres, et la mort était venue. De sa main... De leurs mains...

— Pourquoi ne m'as-tu pas attendu, Celia ?

Tu ne m'aimais donc pas ? Tu ne voulais pas m'aimer, n'est-ce pas ? Tu ne voulais pas et tu as préféré la mort... Oh, Celia... Celia... Mais il y a l'espoir... Il y a l'espoir !

Les mots tombent sans écho dans le silence glacé. Silence de l'Absurde.

A côté de Celia, un livre traîne sur le plancher, grand ouvert. D'une main tremblante, Eddie s'en empare et reconnaît l'ouvrage : « *Le mythe de Sisyphe* », d'Albert Camus !

Etrange, cruelle ironie du sort que cette poignante illustration de l'Absurde... apportée par l'auteur, dans la punition infligée à Sisyphe...

Punition... mais aussi autodestruction de Celia et des autres. Devant l'Absurdité, le Nonsens de la Vie !

Et ce livre, Eddie s'en souvient, c'est celui que Celia a pris un jour, dans les caves de Fredo. Par curiosité... Pour savoir... Pour connaître... Albert Camus, un auteur qu'elle ne connaissait pas... Un grand nom tombé dans l'oubli...

Seulement, voilà... pouvait-il se douter ?

*
**

Le temps avait coulé. Il était déjà plus de 16 heures lorsqu'Eddie s'arracha aux pensées tourbillonnantes qui le liaient au souvenir de Celia... Il y avait Mhax... le rendez-vous de

16 heures ! La vie continuait pour lui, pour les autres...

Il sortit, dominant le vertige qui était en lui, regagna sa voiture et fila jusqu'à la prochaine cabine téléphonique. La douleur était à la fois dans son cœur, dans sa tête, dans toute son âme... Et c'est avec des gestes mécaniques qu'il composa le numéro que lui avait donné Mhax.

Son oreille bourdonnante enregistra la voix, la voix de cet ami inconnu, qui lui parlait de Mhax... qui lui disait de repartir...

Un sale coup pour Mhax... Fini, Mhax... Mort, le grand Mhax à barbe rousse... Abattu. Sur le pavé. Le corps criblé de balles.

— ... Il a quand même eu son gars, continuait la voix. Mais il y en avait d'autres avec lui... Ce sont les autres qui...

Eddie raccrocha.

Seul. Plus seul qu'il ne l'avait jamais été.

Il remonta dans sa voiture, s'affala sur son siège et regarda la pluie qui tombait... la ville grise... inhumaine, qui le cernait de toute part... les gens qui marchaient dans la rue... Brume humaine mêlée aux brumes du temps.

Puis il ferma les yeux et rejeta la tête en arrière. Il n'avait plus le courage de penser et sombra dans un vide total...

Quand il rouvrit les yeux, une longue nuit s'était écoulée. Le jour se levait... Mais en lui, aussi, quelque chose renaissait... Il songeait à

Fredo, à Rubi, au « curé », à Pistache. Et à Adée.

Eh oui... *là-bas,* il y avait de l'herbe et du soleil... et bien d'autres choses encore...

Alors, il se secoua et remit le moteur en marche.

Plus de vingt-quatre heures de perdues... Le délai était sérieusement entamé. Il le savait et en avait pleinement conscience.

Il espérait seulement ne pas arriver trop tard.

FIN

DÉJA PARUS DANS LA MÊME COLLECTION

746. *Les assaillants.* — Peter Randa
747. *Attaque parallèle.* — J.-P. Garen
748. *S.O.S. Andromède.* — Jan de Fast
749. *Les incréés.* — Maurice Limat
750. *Pas même un Dieu.* — Jean Mazarin
751. *L'an 22704 des Wans.* — Gabriel Jan
752. *L'être polyvalent.* — Georges Murcie
753. *Les germes de l'infini.* — M.-A. Rayjean
754. *Le manuscrit.* — Daniel Piret
755. *Black planet.* — Christian Mantey
756. *Ambassade galactique.* — Pierre Barbet
757. *Eltéor.* — Peter Randa
758. *Miroirs d'univers.* — Maurice Limat
759. *Il était une voile parmi les étoiles.* — J. et D. Le May
760. *La planète suppliciée.* — Robert Clauzel
761. *Sogol.* — Daniel Piret
762. *La déroute des Droufs.* — K.-H. Scheer et Clark Darlton
763. *Le cylindre d'épouvante.* — Robert Clauzel
764. *La planète des Normes.* — Jan de Fast
765. *La révolte de Zarmou.* — Georges Murcie
766. *Enfants d'univers.* — Gabriel Jan
767. *La croix des décastés.* — Gilles Thomas
768. *Cap sur la Terre.* — Maurice Limat
769. *Le général des galaxies.* — Jean Mazarin
770. *Un pas de trop vers les étoiles.* — Jan de Fast
771. *Démonia, planète maudite.* — Piet Legay
772. *La mort en billes.* — Gilles Thomas

VIENT DE PARAITRE :

K.-H. Scheer et Clark Darlton
RHODAN RENIE RHODAN

A PARAITRE :

Jimmy Guieu
LA LUMIÈRE DE THOT

ACHEVÉ D'IMPRIMER
SUR LES PRESSES
DE L'IMPRIMERIE FOUCAULT
126, AVENUE DE FONTAINEBLEAU
94270 - LE KREMLIN-BICÊTRE

DÉPOT LÉGAL : 1er TRIMESTRE 1977

IMPRIMÉ EN FRANCE

PUBLICATION MENSUELLE